Länder und Völker

Mitteleuropa

Länder und Völker

Mitteleuropa

Niederlande
Belgien
Luxemburg
Bundesrepublik
Deutschland
Österreich
Schweiz
Liechtenstein

Verlag Das Beste Stuttgart · Zürich · Wien

Länder und Völker
Mitteleuropa

Texte und Bilder dieses Bandes basieren auf
dem Serienwerk BEAUTÉS DU MONDE,
verlegt bei Larousse, Paris, und erstellt von
der Redaktion Larousse.

Freie Mitarbeit

Übersetzung und Bearbeitung:
Dr. Peter Göbel

Bücher und Neue Medien

Redaktionsdirektor: Ludwig R. Harms
Redaktion: Sigrid Blank und
Georg Kessler

Produktgrafik

Art Director: Werner Kustermann
Art Editor: Rudi K. F. Schmidt
Einbandgestaltung: Rolf Bez

Produktion

Produktionsdirektor: Joachim Forster
Leitung Produktion Bücher:
Alfred Wohlfart
Herstellung: Hans-Peter Ullmann

Printed in Italy
ISBN 3 87070 379 2

Inhalt

Einleitung

Unter allen in der Buchserie LÄNDER UND VÖL-KER beschriebenen Regionen unserer Erde ist das in diesem Band vorgestellte Gebiet Mitteleuropas die weitaus kleinste. Die Bundesrepublik Deutschland, die Niederlande, Belgien, Luxemburg, Liechtenstein, Österreich und die Schweiz haben zusammen eine Fläche von rund 557 320 km^2 – weniger als mancher Bundesstaat der USA –, und auch die Einwohnerzahl ist mit insgesamt 118 Mio. Menschen im weltweiten Vergleich recht gering und entspricht ungefähr der Japans. Wie der ostasiatische Inselstaat ist unser Erdteil sehr dicht besiedelt, vor allem die Landschaften am Mittel- und Unterlauf des Rheins mit den ausgedehnten Ballungsgebieten. Die „Randstad Holland", ein Städtekranz, der sich in den Niederlanden von der Küste bis zur Landesmitte erstreckt, nimmt z. B. fast die Hälfte der niederländischen Bevölkerung auf; in der Bundesrepublik Deutschland sind rund 80 % der Einwohner Stadtbewohner. Ganz große Metropolen sind trotz dieser Konzentration allerdings selten, nur etwa ein Dutzend Städte erreicht oder überschreitet die Millionengrenze.

Bezogen auf Fläche und Einwohnerzahl, könnte man die europäische Staatengemeinschaft mit dem biblischen David vergleichen, doch erinnert ihre weltwirtschaftliche Bedeutung eher an dessen Widersacher, den Riesen Goliath. Fünf der zwanzig führenden Welthandelsländer liegen zwischen der Nordsee und den Alpen. Ihre Wirtschaftssysteme sind eng miteinander verflochten, die Bundesrepublik Deutschland wickelt beispielsweise etwa ein Viertel ihres Außenhandels mit ihren Nachbarn ab. Die enge Zusammenarbeit zahlt sich für alle aus: Die Staaten Mitteleuropas gehören zu den wohlhabendsten der Erde. Am Pro-Kopf-Einkommen gemessen, ist die Schweizerische Eidgenossenschaft sogar das reichste Land der Erde, gefolgt vom Großherzogtum Luxemburg.

Mit Bodenschätzen ist die Mitte Europas weniger reich gesegnet. Erz- und Kohlelagerstätten sind vielfach restlos ausgebeutet, oder die Förderung lohnt bei den niedrigen Rohstoffpreisen auf dem Weltmarkt oft nicht mehr. Von zwei Naturgegebenheiten zehrt unser westlicher Erdteil jedoch unabhängig von aller ökonomischen Entwicklung: dem gemäßigten Klima und den fruchtbaren Lößböden, die wir den Sandstürmen der Kalt- und Eiszeiten verdanken. Die Wetterverhältnisse sind heute allgemein besser als ihr Ruf. Dank des atlantischen Seeklimas sinken die Temperaturen im Winter nicht so tief, wie man es üblicherweise auf der Nordhalbkugel

▲ *Katholische Barockkirche am Theaterplatz in Dresden*

▲ *Brügge, das belgische „Venedig des Nordens"*

▲ *In den Niederlanden wird der Wind seit Jahrhunderten als kostenlose und unerschöpfliche Energiequelle genutzt.*

zwischen dem 45. und 55. Breitengrad erwartet. Wo sonst auf der Erde wächst in diesen Breiten noch Wein?

Nach dem Zerfall des Römischen Reichs entwickelten sich, auf der Grundlage seiner Kultur, nördlich der Alpen im Lauf der Jahrhunderte die heutigen Staatswesen. Das erste Reich der Deutschen, „Regnum Teutonicorum", entstand zu Beginn des 9. Jh.; die drei Urkantone der Schweiz, Uri, Schwyz und Unterwalden, schlossen 1291 den „Ewigen Bund"; und Belgien erhielt erst 1830 seine Unabhängigkeit. Heute präsentieren sich die Länder Mitteleuropas als bunt gemischte Gemeinschaft aus drei Bundesstaaten auf parlamentarisch-demokratischer Grundlage, einem Großherzogtum,

▼ *Karnevalsumzug in Köln am Rhein*

▲ *Winterfreuden auf einem Wildsee in Tirol*

▲ *Schweizer Alphornbläser in Aktion*

▼ *Alkmaar: Käseträger auf dem berühmtesten Käsemarkt der Niederlande*

einem Fürstentum sowie zwei parlamentarisch-demokratischen Monarchien. Mit Ausnahme der drei Alpenländer, Schweiz, Österreich und Liechtenstein, sind sie Mitglieder der Europäischen Gemeinschaft.

Die Alpen als höchstes Gebirge Europas bilden die oberste Stufe innerhalb der mitteleuropäischen Landschaftstreppe, die von den Küsten und den flachen Ebenen im Norden rund 800 km weit über die Mittelgebirge zum Hochgebirge im Süden ansteigt. Gewaltige 4634 m mißt die Dufourspitze im Monte-Rosa-Massiv und ist damit der höchste Gipfel der Schweiz. Der gesamte Norden zwischen Schelde und Oder ist Tiefland, das seine Gestalt im Eiszeitalter erhielt. Erst vor rund 15 000 Jahren zogen sich die letzten Gletscher aus dem Gebiet nördlich der Elbe zurück, deren Spuren die Ostseeküste noch deutlich zeigt. Dagegen ist das Land an der Nordseeküste junge, vom Meer hinterlassene oder ihm abgerungene, fruchtbare Marsch. Der sich anschließende dünn besiedelte Gürtel mit sandigen und moorigen Böden wurde in den letzten Jahrhunderten zu dürftigem Acker- und Weideland umgewandelt, das erst am nördlichen Rand der Mittelgebirge in fruchtbare Lößböden übergeht. Sie gehören zu den ertragreichsten in Mitteleuropa.

In den Mittelgebirgen, die im Süden knapp 1500 m erreichen, ändert sich das Landschaftsbild auf engstem Raum. Bewaldete Bergrücken wechseln mit breiten Niederungen und engen Tälern, in denen Felder und Wiesen den Wald zumeist verdrängt haben. Südlich der Donau schiebt sich eine Senke zwischen die Mittelgebirge und die Alpen. Sie ist im Schweizer Mittelland nur schmal, wächst im schwäbisch-bayerischen Alpenvorland aber auf über 100 km Breite an. In Österreich schrumpft sie wieder auf einen schmalen Streifen entlang der Donau zusammen, um schließlich bei Wien in die großen Tiefländer Südosteuropas überzugehen. Die österreichische Hauptstadt markiert auch das östliche Ende des Hochgebirgsbogens der Alpen, die Mitteleuropa im Süden begrenzen.

Alpen und Nordsee gehören zu den Teilen unseres Kontinents, in denen der Mensch den Naturgewalten immer wieder hilflos ausgeliefert ist. Sturm, Regen und Schnee vermag er nicht zu bändigen, trotz aller sonst erfolgreichen Versuche, Natur nutzbar zu machen. In vielen anderen Gebieten kehrte sich die Bedrohung jedoch schon längst um: Der Mensch bedeutet eine Gefahr für seine Umgebung, er zerstört die Tier- und Pflanzenwelt, vergiftet Atmosphäre, Gewässer und Böden. Gerade unser Erdteil, der sich mit stabilen politischen Verhältnissen und florierender Wirtschaft gern als Vorbild für andere Kontinente sieht, bietet hier ein abschreckendes Beispiel.

Die Redaktion

▲ *Im Mai 1932 wurde die letzte Lücke im 30 km langen Abschlußdeich zwischen den Provinzen Nordholland und Friesland geschlossen. Der stark befestigte Damm verwandelte die ehemalige Zuidersee in einen Binnensee, das heutige IJsselmeer.*

Niederlande

*Wie ein roter Faden zieht sich der Kampf gegen das Meer durch die Geschichte der Niederlande. Im Lauf
der Zeit haben die Bewohner gelernt, sich und ihr Land durch Deiche vor Sturmfluten
zu schützen. Doch die Natur ist nur in begrenztem Maß beherrschbar.*

Deus mare, *Batavus litora fecit,* „Gott schuf das Meer, der Holländer die Küste" – ein Drittel der Landesfläche Hollands befindet sich auf Meereshöhe oder sogar bis zu 6,2 m darunter. Von Anbeginn der Besiedlung zwang diese gefährliche Lage die Bevölkerung, sich gegen Meereseinbrüche zu schützen. „Mannsdränken" nannte man die verheerenden Sturmfluten, bei denen Zehntausende ertranken oder einfach infolge verwüsteter Felder den Hungertod starben. Zunächst behalfen sich die Fischer und Bauern im ebenen Marschenland mit künstlichen Erdhügeln, auf denen sie die Fundamente ihrer Häuser errichteten. Wie kleine Inseln ragten diese nun bei hohem Wasserstand über den Meeresspiegel, so wie es heute noch bei den Wurten auf den Nordfriesischen Halligen zu sehen ist. Um das Jahr 1000 wurden die ersten Deiche aufgeschüttet, doch sie konnten den Orkanfluten kaum standhalten. Auch setzten oft genug Ströme aus dem Binnenland, denen der Abfluß ins Meer versperrt war, die Marschen unter Wasser.

„Wer nicht will deichen, muß weichen", die Natur bietet den Menschen in dieser Region keine andere Alternative. Es hätte jedoch nur wenig Sinn, dem Meer an der niederländischen Küste als einzelner Mensch entgegenzutreten, und so ist der Küstenschutz sinnigerweise seit je Gemeinschaftsaufgabe. Der Bau und die Pflege der Deiche sind indes nur ein Bereich kollektiver Arbeit. Zusammenhalt wird auch bei der Entwässerung des unter Meeresniveau gelegenen Landes großgeschrieben, zudem müssen auch

▲ *Westlich des Seengebiets von Meppel liegt Giethoorn. Unwirklich scheint die Szenerie: Auf kleinen grünen Inseln liegen meist hübsch renovierte Bauernhöfe, die durch zahlreiche Laufstege miteinander verbunden sind. Fast der gesamte Verkehr spielt sich im holländischen „Venedig des Nordens" auf den Kanälen ab – der Kahn ersetzt das Auto.*

die Fahrrinnen zu den Häfen und die Kanäle freigehalten werden. In vergangenen Jahrhunderten wurden sie mit windbetriebenen Schöpfrädern entwässert. Es gibt noch etwa 900 Windmühlen im Land, die für den Fall eines Energienotstands von den Poldergesellschaften in Schuß gehalten werden. Im 17. Jh. begannen niederländische Wasserbauspezialisten den Ingenieuren in Schweden, England, Frankreich, Italien und anderen europäischen Ländern bei der Gewinnung von bebaubarem Land aus dem Meeresboden, aus Watt, Seen und Mooren zu helfen. Die Pläne zur Trockenlegung der Zuidersee, die nach Einbrüchen der Nordsee in den Jahren 1170 und 1287 entstanden, reichen bis ins 17. Jh. zurück. Mit deren Verwirklichung wurde allerdings erst nach der schweren Sturmflut von 1916 und den Hungersnöten im Ersten Weltkrieg begonnen. Inzwischen ist das größte Landgewinnungsprojekt, das jemals an den Küsten der Erde durchgeführt wurde, wenigstens vorläufig abgeschlossen.

In der Nacht vom 31. Januar zum 1. Februar 1953 forderte eine erneute Sturmflut 1835 Menschenopfer, Zehntausende von Tieren ertranken. Diese Katastrophe war der Anlaß für ein weiteres, gigantisches Küstenschutzprojekt. Der sogenannte „Deltaplan", an dessen Realisierung nun schon seit

▶ *In Marken tragen die Mädchen und Frauen dem Fremdenverkehr zuliebe ihre volkstümliche Tracht: einen schwarzen Rock mit weißer Schürze, ein buntbesticktes Mieder und auf dem meist blonden Haar ein Spitzenhäubchen.*

fast 30 Jahren mit großem finanziellem Aufwand gearbeitet wird, sieht die Verkürzung der zerlappten Küstenlinie im Rhein-Maas-Schelde-Delta vor. Auf diese Weise soll die Angriffsfläche für die Fluten entscheidend verkleinert werden.

Wellenbrecher vor der Küste
Die niederländischen Inseln

Im Delta der drei Ströme liegen sie regellos verteilt wie Treibeisschollen auf dem Meer; vor der Küste Nordhollands, Frieslands und der Groninger Marsch reihen sie sich dagegen wie Kettenglieder aneinander: die Westfriesischen Inseln im Norden und die Inseln Seelands im Süden des Königreichs der Niederlande. Die Eilande im Norden von Texel über Vlieland, Terschelling, Ameland, Schiermonnikoog und etliche kleinere Eilande bis hinüber nach Rottum sind wie die benachbarten Ostfriesischen Inseln Gemein-

schaftswerke von Wind und Wasser. An manchen Stellen im Wattenmeer häufen die Gezeitenströme bei Flut Sand auf, bei Ebbe trocknet er aus, und der Wind fegt ihn zu Dünen zusammen. Sobald sich einmal Landpflanzen auf diesen Sandbänken angesiedelt haben, wachsen sie schnell über den Meeresspiegel hinaus, schließlich entstehen Düneninseln, die auch schwereren Sturmfluten zu trotzen vermögen.

Doch nicht alle Inseln entstanden so: Walcheren, Nord- und Süd-Beveland, Schouwen-Duiveland, Tholen, St. Filipsland und Goeree-Overflakkee im Südwesten haben einen vollkommen anderen Werdegang hinter sich. Sie sind Überbleibsel alter, höher gelegener Marschen, die von der Nordsee und den Strömen aus dem Binnenland teilweise ausgespült und zerstückelt wurden. So unterschiedlich beide Inselgruppen auch sein mögen, sie erfüllen doch dieselbe wichtige Aufgabe, als Wellenbrecher die Festlandsküste bei Sturmfluten vor größeren Schäden zu bewahren.

Auch die verheerende Sturmflut vom Februar 1953 tobte sich deshalb vor allem an den Seeländischen Inseln aus. Seit damals wurden dort die Deiche nach der „Deltanorm" erhöht und verstärkt, die Ausgänge des Deltas durch Sturmflutwehre gesichert, Mündungsarme in Speicherseen verwandelt und die Inseln durch Dämme, Brücken und Tunnel enger mit dem südholländischen Festland verbunden. Obwohl der Naturschutz und die gewaltigen Kosten die vollständige Realisierung des Deltaplans unmöglich machten, haben die jetzt größtenteils landfesten Inseln ihren ländlich-beschaulichen Charakter bereits eingebüßt. Nur in den Städten erinnern noch Bauwerke an alte, freilich nicht immer gute Zeiten: das Rathaus von Goes mit seinem prachtvollen Rokoko-Ratssaal, das mächtige alte Stadttor von Zierikzee, die sogenannten Schottischen Häuser am Hafen von Veere oder der Altstadtkern von Middelburg, der Hauptstadt Seelands.

Die Hafenstadt Vlissingen an der Südküste der ehemaligen Insel Walcheren war einst

▶ *Das tischebene Marschenland zwischen Haarlem und Leiden verwandelt sich im Frühjahr in einen riesigen farbenprächtigen Blumenteppich aus Narzissen, Hyazinthen und Tulpen. Doch die Blütezeit ist meist nur von kurzer Dauer, denn um hochwertige Zwiebeln zu erhalten, müssen die Blumen schnell geköpft werden.*

▶▶ *Romantische Erinnerungsstücke: Einst gab es in den Niederlanden weit über 10 000 Windmühlen, nicht einmal mehr ein Zehntel davon ist erhalten. Nur noch die wenigsten leisten ihren Dienst, meist stehen ihre Flügel still.*

▲ *Die alten, liebevoll restaurierten Fischkutter im Hafen von Harlingen sind mehr als ein nostalgischer Blickfang, noch heute beweisen sie bei Fahrten im westfriesischen Wattenmeer ihre Überlegenheit gegenüber manch moderner Yacht.*

Brennpunkt der niederländischen Freiheitskriege gegen die spanische Herrschaft. Schon im Jahr 1572 befand sie sich als erste freie Stadt der Niederlande in der Hand der Aufständischen. Die völlige Unabhängigkeit erlangten die nördlichen Provinzen, die heutigen Niederlande, erst im Jahr 1648.

Während des Zweiten Weltkriegs, in dem die Deutschen das benachbarte Königreich 1940 ohne Kriegserklärung überfielen, bombardierten die Briten im Herbst 1944 an vier Stellen den Deich von Walcheren. Sie bedienten sich hier einer alten Taktik der Niederländer, um die deutschen Stellungen an der Schelde zu vernichten. Ergebnis dieser erfolgreichen Aktion war eine fast meterhohe Überschwemmung von neun Zehnteln der Fläche Walcherens. Nach dem Krieg gingen die Insulaner mit vereinten Kräften daran, die Schäden zu beseitigen. Die Lücken in den Deichen wurden geschlossen, das Wasser abgepumpt, die Böden entsalzt und die Felder wieder bestellt. Einige Jahre später erinnerte nichts mehr an die Katastrophe, im Frühjahr standen die Obstbäume in voller Blüte, und im Sommer reifte das Korn auf den Feldern, so wie es das Wappen der Insel verspricht: eine Kornähre, die aus einer Muschelschale wächst.

▶ *Selbst wenn er längst abgeheuert und sich auf dem festen Land zur Ruhe gesetzt hat, trägt der Seemann das blaue Gewand des Schiffers noch mit Stolz.*

Großstädte und Spitzenhäubchen
Betriebsam und beschaulich

Rotterdam, zweitgrößte Stadt des Königreichs, liegt 30 km vom offenen Meer entfernt beiderseits des südlichen Rheinmündungsarms. Seit der Fertigstellung der Hafenanlage Europoort in den 60er Jahren ist die südholländische Stadt nicht nur größter Hafen der Welt, sondern auch das große Seetor Europas, der wichtigste Umschlag- und Verschiffungsplatz für die Güter, die in den industriellen Ballungsgebieten entlang der „Rheinschiene" produziert und gebraucht werden. Im Jahresdurchschnitt laufen ca. 30 000–35 000 Seeschiffe den Hafen an, darunter Tanker mit mehr als 20 m Tiefgang. Außerdem ankern jährlich fast 200 000 Binnenschiffe an den 40 km langen Kais. – Eine Hafenrundfahrt ist ein beeindruckendes Erlebnis.

Die nördlichen Ufer des Deltas, einst ein Paradies für Wasservögel, sind heute eine einzige große Industrielandschaft mit rauchenden Schornsteinen, riesigen Lagerhallen und Tanks, Erdölraffinerien und Betrieben der petrochemischen Industrie – ein hoher Preis für den Titel „modernste Stadt der Niederlande".

Die führende Industriestadt der Niederlande war am 14. Mai 1940 das Ziel deutscher Luftangriffe. Dabei wurden die gesamte Innenstadt und die meisten historischen Bauten zerstört. Die ohnmächtige Verzweiflung, mit der die Bürger Rotterdams damals der Vernichtung ihrer Stadt zuschauen mußten, spiegelt sich in der von dem russischen Künstler Ossip Zadkine geschaffenen Skulptur *Die zerstörte Stadt* eindrucksvoll wider. Sie zeigt eine monumentale Menschenfigur, die anklagend beide Hände erhebt. Nach Kriegsende ging man an den Wiederaufbau Rotterdams: innerhalb von 25 Jahren entstanden 90 000 neue Wohnungen, die alten Grachten wurden zugeschüttet, die zerstörten Hafenanlagen instand gesetzt und modernisiert. Rund um den Stadtkern entstanden moderne Wohnviertel und Satellitenstädte, die heute ein Ballungsgebiet von über 1 Mio. Einwohnern bilden. Heute spricht man vom „Wunder Rotterdam" und meint damit diesen sensationellen Wiederaufbau.

In der Stadtmitte bestimmen Bürohochhäuser das Bild. Einige zerstörte historische Denkmäler wurden in der Nachkriegszeit wiedererrichtet, darunter die brabantisch-gotische St. Laurenskerk aus dem 15. Jh. Angenehmen Aufenthalt bieten großflächige Parks, z. B. im Süden der Innenstadt, wo seit 1960 der 185 m hohe Euromast die in den Hafen einlaufenden Schiffe als neues Wahrzeichen Rotterdams begrüßt.

Amsterdam, das im 13. Jh. als Fischerdorf an der Einmündung der Amstel in die damalige Zuidersee entstand, ist heute Hauptstadt der Niederlande und Mittelpunkt der „Randstad Holland". Die vielen Grachten und die Lage am Meer verleihen Amsterdam einen einzigartigen Charakter. Menschen aus aller Welt, darunter sehr viele Jugendliche, fühlen sich von der eigentümlichen Mischung aus holländischer Bürgerlichkeit und Weltstadtatmosphäre mit all ihren Gegensätzen angezogen. Im Unterschied zu Rotterdam besitzt die Landeshauptstadt noch zahlreiche historische Baudenkmäler, allein

▶ *Europoort, „Tor Europas", heißt die gigantische Hafenanlage, die in der Nachkriegszeit westlich von Rotterdam in den Watten und Marschen der Rheinmündung entstand. Mehrere Wasserstraßen, hier der Hartelandkanal, verbinden den größten Hafen der Welt mit der offenen See.*

▲ *Sprossenfenster, Spitzengardinen und eine Grünpflanze auf der Fensterbank: typische Attribute der Fischerhäuschen von Marken*

▲ *Der Beginenhof im Herzen Amsterdams ist eine Insel der Stille. Einst wohnten hier fromme katholische Frauen in dem 1346 gegründeten Stift. Heute leben in den pittoresken Giebelhäusern alte, alleinstehende Damen und junge Studentinnen.*

mehr als 6000 aus dem 16.–18. Jh., der Blütezeit der Stadt. Der heutige Dam war die Keimzelle Amsterdams, um diese alte Ansiedlung herum wuchs die Stadt in konzentrischen Ringen in das Marschenland hinein. Die Häuser der Altstadt, die durch Grachten in viele Inseln zergliedert wird, stehen auf Pfählen in dem moorigen Untergrund.

Berühmt ist Amsterdam auch für seine zahlreichen Museen: Das Reichsmuseum beherbergt u. a. die umfassendste Sammlung niederländischer Kunst, darunter beispielsweise das Prunkstück der Ausstellung: Rem-

brandts *Nachtwache*. Im Rembrandthaus, einst prächtiges Wohnhaus des Künstlers, ist ein großer Teil seiner Zeichnungen zu sehen, und das Van-Gogh-Museum verfügt mit mehr als 200 Gemälden sowie 500 Zeichnungen über den weltweit größten Bestand an Werken des Malers.

Amsterdam ist zwar wirtschaftliches Zentrum des Königreichs, die niederländische Regierung, das Parlament und die königliche Familie haben jedoch ihren Sitz in Den Haag. Die Stadt, die ihren offiziellen Namen „'s-Gravenhage" von einem gräflichen Jagdschloß hat, wurde Ende des 14. Jh. zur Residenz erhoben. Sie ist eine Stadt der Paläste und der gutsituierten Pensionäre. Der Binnenhof im Zentrum der Altstadt war früher Wohnsitz der Statthalter. Heute tagen in ihm die beiden Kammern des niederländischen Parlaments. Mit dem Friedenspalast hat sich der amerikanische Unternehmer Andrew Carnegie ein Denkmal gesetzt. Er finanzierte den Bau des prunkvollen Gebäudes, mit dem man damals große Hoffnungen verknüpfte. Sie sollten sich allerdings nicht erfüllen. Ein Jahr nach der feierlichen Einweihung des Friedenspalasts brach der Erste Weltkrieg aus. Jetzt ist er Sitz des Internationalen Gerichtshofs. Das Mauritshuis, im 17. Jh. als Palast des Grafen Johan Maurits von Nassau errichtet, dient heute als stilvoller Rahmen der Königlichen Gemäldegalerie, in der alle namhaften niederländischen Meister von Rembrandt über Jan Vermeer bis Frans Hals vertreten sind. Neben dieser Kunstsammlung besitzt Den Haag eine ganze Reihe anderer Museen wie das Königliche Münzkabinett, ein Puppenspielmuseum oder das Nationale Literaturwissenschaftliche Museum.

Gleich neben der beschaulichen Stadt mit ihren gepflegten Villenvierteln und Parks liegt Scheveningen, das führende Seebad an der niederländischen Küste. Mit seinen nahezu unerschöpflichen Sport- und Unterhaltungsmöglichkeiten ist es mondäner Anziehungspunkt für unzählige Besucher aus ganz Westeuropa.

Die Touristen, die über den Damm zur ehemaligen Insel Marken im IJsselmeer fahren, sind dagegen auf der Suche nach dem historischen Holland, nach alten Fischerhäusern, die auf Pfählen in seichtem Wasser stehen, und nach winterlichen Festen, bei denen die Einwohner in ihren überlieferten Trachten auf dem Eis des zugefrorenen Hafenbeckens Schlittschuh laufen. Im benachbarten Fischerdorf Volendam tragen die Frauen noch wie eh und je die gestreifte Schürze, eine Blutkorallenkette und das berühmte Spitzenhäubchen, während sich die Männer in ihren weiten Pumphosen und schwarzen Jacken mit Silberknöpfen zeigen. Im Ausland hält man diese Volendamer

Kleidung oft für die Nationaltracht der Niederländer, dabei ist sie nur eine von vielen verschiedenen Trachten, denen man in Seeland, in Friesland und in anderen ländlichen Gegenden bis in die heutige Zeit hinein treu geblieben ist.

Den Einwohnern der kleinen Hafenorte am IJsselmeer kommt der Touristenstrom nicht ungelegen, denn nach der Eindeichung der Zuidersee ist die Fischerei stark zurückgegangen. Dem Hafen von Harlingen blieb

▲ *Mehrere hundert Brücken und Grachten bestimmen das Bild Amsterdams. Ursprünglich waren die Kanäle als Verteidigungsanlagen gedacht, später wurden sie dann zu bequemen Verkehrswegen ausgebaut.*

dagegen der freie Zugang zur Nordsee und zu den Fischgründen im Westfriesischen Wattenmeer erhalten. An ihre Blütezeit im 17.–19. Jh. konnte die friesische Hafen- und Handelsstadt bisher jedoch nicht wieder anknüpfen; die schönen Giebelhäuser am Hafen, das Rathaus und die Stadtkirche sind Erinnerungsstücke an diese längst vergangenen Zeiten. Im Sommer kommt ein wenig

Leben in das Städtchen, dann sind die Fähren, die von Harlingen zu den Inseln Vlieland und Terschelling verkehren, meistens ausgebucht.

Wenn die Wasserbauingenieure frei entscheiden könnten, wären die Westfriesischen Inseln inzwischen wohl längst untereinander durch Deiche verbunden und das Wattenmeer wie die Zuidersee in einen Binnensee

verwandelt worden. Derartige Pläne legte man in den 70er Jahren glücklicherweise zu den Akten, weil die Küstenfischer prote-

▶ *Das IJsselmeer ist ein ideales Revier für Freizeitkapitäne, und wenn einmal Flaute herrscht, genießt man im Hafen von Marken den in den Niederlanden nicht gerade üppig bemessenen Sonnenschein.*

▲ *Bei dem Typ der Turmwindmühle, der sogenannten holländischen Mühle, läßt sich die Dachkappe mit dem vierflügeligen Windrad in Windrichtung drehen.*

stierten und Naturschutzverbände verheerende Folgen für die Ökologie der Region prophezeiten. Die Inselkette vor der Küste ist deshalb noch immer sowohl ein Paradies für Seevögel, die zu Zehntausenden auf den Dünen- und Marscheninseln nisten, als auch für Scharen von Sommerurlaubern, die sich an den langen Sandstränden leider nicht nur erholen, sondern sie auch verschmutzen.

▶ *Die Brouwersgracht ist nur einer von 160 Kanälen, die Amsterdam durchziehen. Am besten verschafft man sich bei einer Bootsfahrt einen Überblick von dem Labyrinth der Kanäle.*

▲ *Zwischen Den Haag und Haarlem liegt der Keukenhof, die größte Freilandblumenschau der Welt. Auf 28 ha entfaltet sich inmitten saftig-grünen Rasenflächen eine farbenfrohe Tulpenpracht, die in ihrer Artenvielfalt unübertroffen ist.*

Die Wasserhypothek
Wasser als Lebenselixier und Gefahr

Die Niederlande sind reich an Binnengewässern; der Anteil von Flüssen und Seen an der Landesfläche beträgt nahezu 20%, und rund 500 km mißt die Küstenlinie. Die unvorstellbaren Wassermengen stellen einerseits eine ständige Bedrohung dar, lasten wie eine Hypothek auf dem ebenen Land und fordern ihren Tribut, andererseits sind sie aber auch eine Art Lebenselixier, dem die Niederländer ihren Wohlstand zum großen Teil verdanken. Drei mitteleuropäische Ströme münden zwischen Antwerpen und Rotterdam in die Nordsee. Ein beträchtlicher Teil des niederländischen Bodens besteht aus ihren Ablagerungen. Napoleon nutzte diese Tatsache als Vorwand, um das Königreich Holland 1810 dem französischen Kaiserreich einzuverleiben; für ihn waren die Niederlande ein Werk französischer Ströme, also glaubte er sie guten Gewissens annektieren zu dürfen. In der Tat entspringen die Schelde und die Maas in Nordfrankreich, und der Rhein berührt auf seinem 1320 km langen Lauf auf weiten Strecken französisches Territorium. Für die Niederlande sind die Ströme von jeher Lebensadern, welche die Häfen an der Nordseeküste mit dem mitteleuropäischen Binnenland verbinden. Sie ließen die niederländischen Städte schon im Mittelalter zu blühenden Handelsmetropolen werden.

Aber die Ströme brachten nicht nur Segen, oft genug überschwemmten sie die Flußmarschen und leiteten mit ihren Mündungstrichtern Sturmfluten tief ins Land hinein. Außerdem veränderte sich ihr Lauf in den vergangenen Jahrhunderten vielfach, sie suchten sich ein neues Bett und ließen die Häfen versanden. Der Rhein, der sich kurz hinter der deutsch-niederländischen Grenze in mehrere Mündungsarme verzweigt, floß z. B. in römischer Zeit noch bei Leiden in die Nordsee, verlagerte sich dann aber weit nach Süden. Ursache dafür sind kräftige Gezeitenströme, die Sandmassen von Nordosten her parallel zur Küste verschieben und vor den Mündungstrichtern absetzen, so daß sich das Wasser neue Wege suchen muß.

Die Gezeitenströme versorgen auch die breiten Strände an der holländischen Nordseeküste mit Sand, der vom Wind zu hohen Dünen aufgeweht wird. Der Dünengürtel hinter der Küste wirkt wie ein natürlicher Deich. Vor den schweren Überschwemmungen im Mittelalter konnte er die Niederlande allerdings nicht bewahren. Sie schlugen Breschen in den Dünengürtel, brachen mit verheerender Gewalt über das tiefgelegene Marschenland her und verwandelten es für Jahrhunderte in Meeresbuchten. Die Schäden waren in den Gebieten am größten, in denen unter den Marschenböden Torfschichten lagern. Der Torf setzt sich im Lauf der Zeit beträchtlich, und so sank das Schwemmland, das ursprünglich einige Dezimeter über dem Meeresspiegel lag, immer tiefer unter Meeresniveau.

Anders als an der deutschen Nordseeküste, wo man das neugewonnene Marschenland erst dann eindeicht, wenn es durch die Ablagerung von Schlick und Sand bereits über das mittlere Meeresniveau hinausgewachsen ist, gehen die Niederländer bei der Landgewinnung traditionell den umgekehrten Weg: sie ziehen einen Deich um die Meeresbucht oder den See, legen einen Ringkanal an und pumpen dann das Wasser aus dem Polder. Auf diese Weise wurden schon im 17. und 18. Jh. ausgedehnte Wasserflächen trockengelegt, damals mit Hilfe von Windmühlen, die das Wasser in den Ringkanal pumpten. Der Durchbruch bei der Landgewinnung gelang jedoch erst im vorigen Jahrhundert durch den Einsatz von Dampfmaschinen.

Trotz moderner Technik bleiben große Landgewinnungs- und Küstenschutzprojekte Aufgaben für Generationen. Mit der Eindeichung der Zuidersee wurde beispielsweise schon 1927 begonnen, 1930 entstand der erste Polder, seit 1963 ist der Wieringermeer-Polder in Arbeit; bis 1980 sollte er trockengelegt sein. Doch ist das Projekt bis heute noch nicht vollendet, denn nach Protesten von Umweltschützern wurden die Bauarbeiten am fünften Polder im IJsselmeer vorläufig eingestellt.

▶ *Einzig erhaltenes Stadttor der mittelalterlichen Befestigung von Delft ist das Oostpoort. Im 16. Jh. wurde den beiden Rundtürmen ein achteckiges Obergeschoß mit nadelspitzem Helm aufgesetzt. Eine Zugbrücke überspannt den von Weiden gesäumten Kanal.*

▲ *Den Haag: Im Rittersaal hält die Königin alljährlich am dritten Dienstag im September ihre Thronrede zur Eröffnung der neuen Tagungsperiode des niederländischen Parlaments. Das im 13. Jh. als Festsaal errichtete Gebäude gehört zum Bauensemble des Binnenhofs, einer alten Palastanlage.*

ten, die mit Nährlösungen getränkt sind. In anderen Zweigen der Landwirtschaft sind die Niederländer ebenfalls Vorreiter, etwa in der Milchproduktion. Dank modernster Fütterungsmethoden und Stallanlagen geben niederländische Kühe im Durchschnitt mehr als 5000 l Milch pro Jahr – nachdem die Sturmflutgefahr gebannt wurde, schwappen jetzt Milchfluten aus den Ställen. „Ställe" ist eigentlich das falsche Wort für die Räume, in denen Kühe, Kälber, Schweine und Hühner zusammengepfercht ihr Dasein fristen, es sind eher industrielle Produktionsstätten. Die mit der Massentierhaltung verbundenen Umweltprobleme, beispielsweise Verunreinigung des Grundwassers durch den konzentrierten Anfall von Dünger, erreichen die Dimensionen der von der Großindustrie verursachten Gefahren.

Oft vermindert Massenproduktion erfahrungsgemäß die Qualität der Erzeugnisse, die Niederländer unterscheiden deshalb bei ihrem weltberühmten Käse streng zwischen dem Fabrik- und dem Bauernkäse. Letzterer wird nach alten Rezepten in einem der zahlreichen Käsebauernhöfe hergestellt, während der in den Molkereien produzierte Fabrikkäse überwiegend aus den berühmten Käsestädten Edam und Gouda kommt. Die Käsebauernhöfe liegen über das ganze Land verstreut, u. a. auch in Friesland. In Leeuwarden, der Hauptstadt der Provinz Friesland, hat man den Milchkühen sogar ein Denkmal gesetzt. Angesichts der Überproduktionsprobleme, die diese fleißigen Tiere der Europäischen Gemeinschaft bereiten, dürfte mancher Steuerzahler das Kuhdenkmal mit gemischten Gefühlen betrachten.

Das Erdgas, das im Nordosten der Niederlande und im angrenzenden niederländischen Sektor der Nordsee gefördert wird, läßt sich zur Zeit um einiges leichter absetzen als Milch. Es ist der einzige nennenswerte Bodenschatz, der neben Torf und Sand, dem sonst so rohstoffarmen Land geblieben ist. Die 1960 entdeckten Erdgasvorkommen machten das Königreich zum Energie-Exportland, obwohl sie in Hinblick auf künftige Energiekrisen nur zurückhaltend ausgebaut werden.

Leeuwarden gilt als das kulturelle Zentrum Frieslands. Die aus drei Wurtendörfern hervorgegangene Stadt besitzt mit dem Friesmuseum das bedeutendste Provinzialmuseum der Niederlande. Es ist vor allem durch seine Sammlungen von Silberschmiedearbeiten und Fayencen bekannt. Der Backsteinturm Oldehove ist Wahrzeichen Leeuwardens und zugleich anschauliches Beispiel für die Probleme, die der friesische Boden als Baugrund bereitet. Schon während seiner Errichtung neigte er sich so bedrohlich, daß die Bauarbeiten 1532 eingestellt werden mußten und der Turm ein

Blumen und Käse
Vom Bauernhof zur Agrarfabrik

Einer der ersten holländischen Binnenseen, die mit Hilfe der Dampfkraft trockengelegt wurden, war das Haarlemer Meer westlich von Amsterdam. Der Polder des Haarlemer Meers ist heute Teil des Gartenbaugürtels, der sich hinter den Dünen von Haarlem bis nach Rotterdam erstreckt. Den Abschnitt zwischen Haarlem und Leiden nennen die Niederländer „Bollenstreek", was soviel wie „Blumenzwiebelland" bedeutet. Dort werden die Blumenzwiebeln für den Export in alle Länder der Erde gezogen. Daneben führt das Königreich auch große Mengen

von Zierpflanzen aus. Im April und Mai gleichen die Niederlande einem einzigen farbenprächtigen Blütenmeer. Im Welthandel mit Blumen steht der Beneluxstaat konkurrenzlos an der Spitze.

Die Züchter haben es verstanden, die Nachteile des sonnenarmen und niederschlagsreichen Klimas durch raffinierte Techniken wieder wett zu machen. Gewächshäuser, in denen Temperatur und Feuchtigkeit elektronisch gesteuert werden, gehören schon lange zum Standard. Neuerdings gehen die Computergärtner mehr und mehr dazu über, auch die Wasser- und Nährstoffversorgung auf diese Weise zu steuern. Die Pflanzen wachsen dabei nicht im Erdboden, sondern auf Steinwollemat-

▲ *Im stillen Wasser des Hofvijvers, des „Schloßteichs", spiegelt sich der nordwestliche Flügel des Binnenhofs von Den Haag. Er beherbergt u. a. den Sitzungssaal der Ersten Kammer des niederländischen Parlaments.*

Torso blieb. Im benachbarten Groningen, der größten Stadt im Norden der Niederlande, hatte man dagegen mehr Glück. Mit 96 m Höhe erreicht dort der Turm der Martinikirche friesisches Rekordmaß. Die friesische Minderheit in den Niederlanden ist stolz auf ihre Traditionen und widmet ihrer Kultur und Sprache viel Aufmerksamkeit. Hauptziel der „Friesischen Bewegung" ist die Bewahrung der friesischen Sprache, die in Westfriesland noch von etwa 200 000 Menschen gesprochen wird. Friesisch gehört in vielen Schulen zum Unterrichtsfach, und in der Provinz Friesland sind sogar die Straßenschilder zweisprachig. Einen Sprachenstreit wie im Nachbarland Belgien gibt es in den Niederlanden jedoch nicht, die Bevölkerungsgruppen leben einträchtig zusammen.

Der Süden der Niederlande
Noord-Brabant und Limburg

Noord-Brabant, die größte Provinz des Königreichs, ist durch die Landesnatur enger mit dem benachbarten Belgien verbunden als mit dem eigenen Land. Das Hollands Diep, der südliche Arm der Maas, trennt Noord-Brabant als natürliche Grenze vom Kerngebiet der Niederlande. Historisch und konfessionell bestehen gleichfalls enge Verbindungen hinüber nach Belgien. Das katholische Herzogtum Brabant wurde erst 1815 endgültig in einen Nord- und einen Südteil geteilt. Als Belgien am 4. Oktober des Jahres 1830 seine Unabhängigkeit erlangte, wurde ihm Süd-Brabant zugesprochen.

◄ *Das Muiderslot südöstlich von Amsterdam wurde im 14. Jh. auf den Grundmauern einer mittelalterlichen Burg erbaut. Heute ist das Schloß Reichsmuseum und bekannt für sein kostbares Renaissancemobiliar.*

▲ *Der Konzertsaal der Drehorgelspieler ist in den Niederlanden die Straße.*

▲ *Seit der Eindeichung der Zuidersee ist der Tourismus für Volendam, einen Ort nahe der für ihren Käse bekannten Stadt Edam, die wichtigste Einnahmequelle. Stolz präsentieren sich hier die Bewohner in ihrer alten Tracht dem Besucher.*

Die Provinzverwaltung von Noord-Brabant hat ihren Sitz in 's-Hertogenbosch, der Geburtsstadt des Malers Hieronymus Bosch (1450–1516). Die alte Residenz- und Festungsstadt besitzt leider keine Werke ihres berühmtesten Sohnes mehr, wohl aber mit der St. Janskathedraal die bedeutendste und größte mittelalterliche Kirche der Niederlande. Das um 1530 fertiggestellte Gotteshaus unterscheidet sich vor allem durch seine reiche Ausstattung mit Skulpturen, Gemälden, einem wertvollen Chorgestühl und Taufbecken von den meist spartanisch ausgestatteten Kirchen des Königreichs. Sehenswert ist auch die gotische Liebfrauen-

◄ *In kalten Wintern überzieht eine dicke Eisschicht die Grachten, Seen und Kanäle, wie beispielsweise hier am Heerensingel in Haarlem. Das kommt jedoch nicht allzu häufig vor, denn dank des Golfstroms zählt man an der niederländischen Küste im Jahresdurchschnitt nur etwa 40 Frosttage.*

kirche (15. Jh.) in der Bischofsstadt Breda mit dem großartigen Renaissance-Grabmal des Grafen Engelbrecht II. von Nassau und seiner Gemahlin. In der Nähe der Kirche steht das Stammschloß der Grafen von Oranien-Nassau, das wie die stark befestigte Stadt vielen Belagerungen widerstehen mußte. Noch heute erzählt man sich gern von der List, mit der Moritz von Nassau die 1581 von Spanien überrumpelte Stadt im Jahr 1590 zurückeroberte: In einem Torfschiff versteckt, schleuste er 70 seiner Soldaten in die besetzte Festung. 1625 fiel Breda allerdings wieder in die Hände der Feinde.

Wirtschaftliches Zentrum Noord-Brabants ist die „Philipsstadt" Eindhoven, in der vor 100 Jahren die Brüder Anton und Gerard Philips eine Glühlampenfabrik gründeten. Das kleine Unternehmen entwickelte sich zu einem weltweit tätigen Konzern, der längst nicht mehr nur Glühbirnen, sondern eine breite Palette elektrischer und elektronischer Geräte herstellt. Der Eindhovener Zigarrenfabrikant Henri van Abbe hinterließ seiner Stadt eine umfangreiche Gemäldesammlung, die den Grundstock des Van-Abbe-Museums bildet. Die inzwischen international bekannte Galerie widmet sich hauptsächlich der Malerei des 20. Jh. In der kargen Geestlandschaft rund um Eindhoven wuchsen zwei berühmte Maler auf: Vincent van Gogh (1853–1890) schuf im benachbarten Städtchen Nuenen seine ersten Werke, und das Dorf Breugel soll die Urheimat der niederländischen Malerfamilie Breughel (oder Bruegel) gewesen sein. Ihr wohl international bekanntester Vertreter ist Pieter der Ältere, genannt der „Bauernbreughel", weil er oft Szenen aus dem ländlichen Milieu darstellte.

In Limburg, der südlichsten Provinz der Niederlande, reicht das Königreich beiderseits der Maas ein kleines Stück in den Lößgürtel am Südrand des mitteleuropäischen Tieflands und in die Mittelgebirge hinein. Die an ebenes Land gewöhnten Niederländer nennen diese hügelige Gegend die „Kleine Schweiz", denn hier steht der Vaalser Berg am Dreiländereck Niederlande–Belgien–Deutschland. Er erreicht 321 m und damit niederländischen Landesrekord. Das heutige Limburg stellt lediglich einen kleinen Teil des ehemaligen Herzogtums dar, aus den südlichen Provinzen ging im vorigen Jahrhundert Belgien hervor. Wirtschaftlich war Limburg mit seinen Steinkohlen- und Braunkohlenlagern in den sonst so rohstoffarmen Niederlanden jahrzehntelang ein Zentrum der Schwerindustrie. In den 60er Jahren ging die Förderung allerdings stark zurück, 1975 mußte die letzte niederländische Steinkohlenzeche geschlossen werden. Neu angesiedelte Betriebe der Chemie- und Automobilindustrie konnten zwar einen Teil der

▲ *Jan Vermeer van Delft (1632–1675) ist neben Rembrandt und Frans Hals der dritte herausragende niederländische Maler des 17. Jh., obwohl kaum 40 Bilder von ihm bekannt sind. Sein Gemälde* Die Briefleserin *(um 1664) ist im Reichsmuseum der Stadt Amsterdam zu bewundern.*

entlassenen Arbeiter übernehmen, doch ist Limburg im Vergleich mit den Wirtschaftszentren nahe der Küste noch immer ein wirtschaftliches Problemgebiet.

Die Provinzhauptstadt Maastricht, eine halbe Autostunde von Aachen entfernt an der Maas gelegen, gehört zu den ältesten Städten der Niederlande. Bereits um das Jahr 50 v. Chr. gründeten die Römer an einer Furt durch die Maas die Siedlung *Traiectum ad Mosam.* Aus der mehr als 2000jährigen Geschichte ist eine Vielzahl sehenswerter Bauwerke erhalten geblieben: Befestigungsanlagen wie das „Höllentor" oder das Labyrinth unterirdischer Gänge im Pietersberg; das elegante, an die Blütezeit Maastrichts als Stadt der Tuchmacher erinnernde Renaissance-Rathaus; die romanische St.-Serva-tius-Basilika, deren Geschichte sich bis in das 6. Jh. zurückverfolgen läßt, und die festungsartige Liebfrauenkirche. Die südlimburgische Industriestadt Heerlen östlich von Maastricht ging aus einer römischen Festung hervor, hier sind Überreste von römischen Bädern erhalten. Im romantischen Burgstädtchen Valkenburg aan de Geul legten die Römer in unterirdischen Mergelgruben Katakomben an. Die Mergelhöhlen gehören heute neben der Ruine der mittelalterlichen Valkenburg und einem Spielkasino zu den touristischen Attraktionen des vielbesuchten Ferien- und Badeorts.

▶ *Insgesamt 54 Turmwindmühlen waren an der Trockenlegung des Schermer Polders in Noord-Holland im 17. Jh. beteiligt.*

▲ *Wie in den Niederlanden sorgt auch in Belgien ein ausgedehntes Netz von Kanälen dafür, daß das tiefgelegene Land entwässert wird. Dieser von Pappeln und Windmühlen gesäumte Wasserweg verbindet Brügge mit dem niederländischen Königreich.*

Belgien

In vergangenen Zeiten immer wieder das „Schlachtfeld Europas", ist das Königreich der Flamen und Wallonen heute zum Zentrum der europäischen Einigung geworden. Als Reiseziel ist das Land zwischen der Nordsee und den Ardennen ein Tip für Kenner.

AUF der Landkarte gleicht das Aussehen Belgiens einem Keil, der zwischen die Niederlande, Frankreich und Deutschland getrieben wurde. Kriegerische Auseinandersetzungen haben den Werdegang des nach einem keltischen Volksstamm benannten Königreichs durch die Jahrhunderte begleitet: Rivalitäten zwischen den beiden großen Bevölkerungsgruppen, den niederländisch sprechenden Flamen und den französischsprachigen Wallonen, im Innern, vor allem aber die Konflikte zwischen be-

nachbarten europäischen Nationen, die auf belgischem Boden ausgefochten wurden. Namen von belgischen Städten und Dörfern wie Waterloo, Ypern oder Bastogne rufen Erinnerungen an blutige Schlachten wach, an die Gefechte zwischen den Armeen Napoleons und den vereinigten Streitkräften Preußens und Großbritanniens, an die erbitterten Grabenschlachten im Ersten Weltkrieg oder an die letzte große Offensive deutscher Truppen in den Ardennen im Zweiten Weltkrieg. In den Geschichtsbüchern der

beteiligten Nationen sind die Schlachten je nach dem Ausgang als Siege oder Niederlagen verzeichnet, für die Menschen, die auf dem „Schlachtfeld Europas" lebten, bedeuteten sie stets dasselbe: Tod, Elend, Zerstörung und Besetzung durch fremde Truppen.

Gallier, Römer, Franken, Burgunder, Spanier und Habsburger lösten sich in der Herrschaft über das Gebiet ab, das 1830 seine Unabhängigkeit erlangte und bis zur Aussöhnung zwischen den Erzfeinden Deutschland und Frankreich ein typischer

Pufferstaat blieb. Bei der Wahl der belgischen Hauptstadt Brüssel zum Sitz wichtiger Behörden der Europäischen Gemeinschaften war deshalb nicht nur die günstige Lage im Zentrum Mitteleuropas ausschlaggebend, die Pioniere der europäischen Einigung wollten damit zugleich auch ein Zeichen setzen.

Das Königreich Belgien ist ein kleiner Staat, mit rund 30 000 km^2 noch nicht einmal halb so groß wie Bayern. Zwischen Ostende an der Nordseeküste und Arlon an der belgisch-luxemburgischen Grenze liegen kaum mehr als 300 km. Trotzdem ist das Land in sich geteilt. Quer durch Belgien verläuft eine Sprachgrenze. Sie trennt das Gebiet der niederländisch sprechenden Flamen im Norden von dem der französischsprachigen Wallonen im Süden. Seit 1921 gilt die inmitten flämischen Reviers liegende Landeshauptstadt Brüssel offiziell als zweisprachige Region. Für ungefähr drei Fünftel der Belgier, d. h. rund 6 Mio. Menschen, ist Niederländisch die Muttersprache, mehr als 3 Mio. sprechen französisch. Neben diesen beiden großen Gruppen gibt es im Osten des Königreichs noch eine kleine deutschsprachige Minderheit, die allerdings in die Sprachkonflikte nicht verwickelt ist. Derartige Kontroversen traten in der Vergangenheit hauptsächlich im Bereich der Grenzen zwischen Wallonen und Flamen sowie in Brüssel auf.

Dem Sprachgruppenstreit in Belgien, der nun schon seit über 100 Jahren anhält und sich in den letzten Jahrzehnten sogar noch zuspitzte, stehen Ausländer oft verständnislos gegenüber. Wie bei vielen nationalen Konflikten sind auch in diesem Fall weniger kulturelle als soziale Gegensätze die eigentliche Ursache.

Nach Erreichung der Unabhängigkeit von den Niederlanden und der Gründung des Königreichs Belgien im Jahr 1830 bestand zunächst mehr als ein Jahrhundert lang ein ausgeprägtes Wirtschafts- und Sozialgefälle zwischen der stark industrialisierten Wallonie im Süden und dem ländlich-bäuerlichen Flandern im Norden. Französisch sprechende Wallonen bildeten in den Bergbau- und Industrierevieren des Südens eine wohlhabende Oberschicht, während die aus dem Norden zugewanderten Flamen in das sozial stark benachteiligte Industriearbeiterproletariat abgedrängt wurden. Im 20. Jh., insbesondere in den Jahren nach dem Zweiten Weltkrieg, kehrte sich dann die Wirtschaftsentwicklung um: Bergbau und Stahlindustrie in der Wallonie gerieten seit Ende der 50er Jahre in die Strudel der weltweiten Krise, 1984 mußten dort die letzten Kohlengruben geschlossen werden.

Die Hafen- und Industriestädte Flanderns, vor allem Antwerpen und Gent, erlebten dagegen einen rasanten Aufschwung. Das ehemalige Problemgebiet Flandern ent-

wickelte sich zum belgischen „Musterländle" und liefert heute etwa zwei Drittel der belgischen Industrieproduktion, die einst reiche Wallonie mit ihrer veralteten Wirtschaftsstruktur wurde zum Armenhaus. Verschärft hat sich die Konfliktsituation inzwischen auch durch die unterschiedliche Bevölkerungsentwicklung in den beiden Sprachgebieten. Jahrzehntelang lag die Geburtenrate in Flandern deutlich über derjenigen der Wallonie, der Anteil der Flamen an der Bevölkerung nahm deshalb schneller zu als der Bevölkerungsanteil der Wallonen. Noch vor 100 Jahren waren beide Sprachgruppen etwa gleich stark, heute sind die Flamen klar in der Überzahl, haben folglich auch politisch größeres Gewicht und können ihre Interessen besser durchsetzen.

Die Schlichtung des Sprachgruppenstreits ist für die politisch Verantwortlichen eine schwierige Aufgabe. Da soziale Gegensätze die Hauptursachen des Konflikts sind, versucht man bereits seit Jahrzehnten, durch eine gezielte regionale Wirtschaftsförderung die Gegensätze zu mildern. Der wirtschaftliche Aufschwung Flanderns in der Nachkriegszeit wurde beispielsweise mit staatlichen Mitteln gefördert. Allerdings zeigte sich hierbei, daß in einem kleinen Land wie Belgien die gezielte Förderung einer Region nicht ohne Auswirkung auf die anderen Landesteile bleibt. Wenn auf der belgischen „Wirtschaftsschaukel" das eine Ende be- oder entlastet wurde, hob oder senkte sich zwangsläufig das andere. Erhielten die einen zur Förderung der Wirtschaft staatliche Subventionen, so beanspruchten die anderen ebenfalls ihren Teil – mit dem Ergebnis, daß sich die Forderungen gewissermaßen „hochschaukelten".

Die belgische Regierung erhofft sich nun von der stärkeren Regionalisierung des Landes einen Ausweg aus der Krise. Das Königreich soll Schritt für Schritt in einen Bundesstaat umgewandelt werden. Die Bevölkerung wurde in drei Sprachgemeinschaften gegliedert und das Land in drei Regionen geteilt, die flämische, die wallonische – einschließlich der kleinen deutschen – sowie die zweisprachige im Gebiet der Landeshauptstadt Brüssel. Jede dieser Gemeinschaften erhielt mit einem Parlament und einer Regierung eigene Staatsorgane, die vor allem für kulturelle Angelegenheiten zuständig sind. Zudem erhalten die drei Gebiete weitgehende Autonomie und sollen z. B. Probleme der ökonomischen Entwicklung in eigener Verantwortung lösen.

▶ *Die im üppigen Schmuck des Barock verzierten Zunfthäuser an der Grand' Place im Zentrum Brüssels entstanden nach 1695, als infolge eines Bombardements französischer Truppen die alte Platzanlage niederbrannte.*

▲ *Eines der schönsten weltlichen Bauwerke der Gotik: das Brüsseler Rathaus an der Grand' Place – auch Großer Markt genannt. Zum größten Teil wurde der Prachtbau mit seiner 60 m langen Fassade und dem fast 100 m hohen Turm in der ersten Hälfte des 15. Jh. errichtet.*

Brüssel
Die Hauptstadt Europas

Brüssel, wallonisch „Bruxelles", flämisch „Brussel", liegt zwar im flämischen Landesteil, hat jedoch das Flair einer französischen Stadt. Nicht ohne Grund nannte man sie im vorigen Jahrhundert „Klein-Paris". Wie die Metropole an der Seine entwickelte sich Brüssel, durch die zentralistische Staatsform gefördert, zum überragenden nationalen Zentrum. Mehr als 40% der belgischen Arbeitsplätze finden sich in der städtischen Agglomeration. Die etwa in der Landesmitte im Grenzsaum zwischen den Geestlandschaften und den Lößböden gelegene Großstadt erfüllt eine ganze Reihe von Verwaltungsaufgaben. Sie ist königliche Residenz und Sitz der Zentralregierung, Hauptstadt der Provinz Brabant, Tagungsort der Flämischen und der Französischen Sprachgemeinschaft sowie Sitz verschiedener Organisationen, z.B. der NATO und der Europäischen Gemeinschaften – darunter des EG-Ministerrats und der EG-Kommission. Als wichtig-

▶ *Antwerpen: Die Zunfthäuser am Grote Markt stammen aus dem 16. Jh.; damals war die Stadt an der Schelde die führende Handelsstadt Europas.*

▲ *Der Belfried Brügges (links im Bild) steht auf dem von Flußarmen umschlossenen Stadtmarkt. Er gehört zu den schönsten Glockentürmen Flanderns.*

▲ *Berühmt in der ganzen Welt: die Spitzenklöppelei Brügges; etwa seit Mitte des 18. Jh. gibt es Klöppelmaschinen, am begehrtesten sind jedoch noch immer die handgeklöppelten Arbeiten.*

ster Arbeitsort der EG-Spitzenbehörden und sonstiger internationaler Institutionen und Verbände könnte man Brüssel durchaus als die „Hauptstadt Europas" bezeichnen.

An die dichten Bruchwälder an den Ufern der Senne, in denen Herzog Karl von Niederlothringen Ende des 10. Jh. eine Wasserburg errichten ließ, erinnert nur noch der Name der belgischen Landeshauptstadt. Schon im 6. Jh. soll es nach der Überlieferung an einer inselbildenden Senneschleife eine Niederlassung auf dem heutigen Stadtgebiet gegeben haben. Mitten im „Broec" (Bruch) entstand hier eine Siedlung: Bruocsella (Siedlung im Bruch). Eine andere Erklärung über die Herkunft des Namens zieht die zahlreichen kleinen Brücken, „de Brugsels", heran, die um die Jahrtausendwende den zu einem beachtlichen Marktflecken gewachsenen Ort durchzogen. Im Schutz der Burg entwickelte sich eine Kaufmannssiedlung, die im 12. Jh. zur herzoglichen Residenz erhoben wurde. Die Doppelrolle als Residenzstadt und bedeutender Umschlagplatz an der Handelsstraße Köln–Brügge bescherte Brüssel eine Blütezeit, die, von kurzen Rückschlägen abgesehen, bis in die Gegenwart anhielt.

Von diesem außerordentlichen Reichtum kündet eine Vielzahl prachtvoller Bauten, unter denen die an der Grand' Place zu den schönsten zählen. Das spätgotische Rathaus und die überreich dekorierten Zunft- und Bürgerhäuser sind Zeugnisse einer selbstbewußten Gilde von Kaufleuten und Handwerkern, die das Leben der Stadt wesentlich mitbestimmten. Hier machte sich eigener Gewerbefleiß bezahlt: Tuchmacherei, Brüs-

seler Bier und Brüsseler Spitzen, Möbel und Lederwaren brachten nicht nur Ansehen, sondern auch Wohlstand. Und so überrascht es nicht, daß das Innere der Häuser den äußeren Glanz noch zu übertreffen vermag. Luxusgüter wie geklöppelte Spitzen, golddurchwirkte Gobelins, ziselierte Prunkrüstungen und kostbares Porzellan schmücken das Interieur.

Die Grand' Place, der zentrale Marktplatz in der Unterstadt, ist Mittelpunkt des öffentlichen Lebens – für Touristen und Brüsseler gleichermaßen. Nach jahrhundertealter Tradition finden hier Feste wie der „Ommegang" statt. An diesem Umritt nahmen einst alle Bevölkerungsgruppen teil, und so wurde dies eine fröhliche Selbstdarstellung der ständischen Ordnung. Zu jenen Zeiten traf man an diesem Ort allerdings auch noch auf andersgeartete Sensationen, denn hier wurden ebenfalls die öffentlichen Hinrichtungen vollzogen. Am 5. Juni 1568 wurde Graf Egmont, Statthalter von Flandern und Kämpfer für die Unabhängigkeit der Niederländer von Spanien, auf den Befehl Herzog Albas hingerichtet.

Populärer als diese historischen Tatsachen ist bei den meisten Besuchern der Stadt die Brunnenfigur, die sich in einer der schmalen Straßen hinter dem Rathaus verbirgt: Manneke Pis, die im Jahr 1619 aufgestellte Statue eines kleinen Jungen, der einem dringenden Bedürfnis sozusagen freien Lauf läßt. An hohen Feiertagen hüllt sich der nackte Knabe verschämt in kostbare Gewänder.

Zahlreiche mittelalterliche Bauwerke fielen im vorigen Jahrhundert dem Ausbau Brüssels zur königlichen Residenz zum Op-

fer. Nach dem Vorbild von Paris wurden breite Boulevards durch das Häusergewirr der Altstadt geschlagen. Die dort errichteten Bauten beeindrucken weniger durch architektonische Schönheit als durch ihre gewaltigen Dimensionen. Zu ihnen gehören der gigantische Justizpalast, den die Brüsseler „Das Mammut" nennen, das Museum für Alte Kunst an der Place Royale und die erste überdachte Ladengalerie, Saint Hubert. Überdimensional, gegenüber dem Original 165millionenfach vergrößert, ist auch das sogenannte Atomium auf dem Gelände der Weltausstellung von 1958. Das moderne, 102 m hohe Wahrzeichen der Landeshauptstadt stellt die atomaren Bausteine eines kristallinen Metalls dar.

Ein Volk von Städtern
Streifzüge durch das „Goldene Dreieck"

In keinem anderen Land Europas, die Zwergstaaten ausgenommen, ist der Anteil der urbanen Bevölkerung so groß wie in Belgien. Nicht weniger als 97% der Belgier leben in Städten. Die drei größten des Königreichs – Brüssel, Antwerpen und Gent – bilden die Ecken eines Dreiecks, das man das „Goldene" nennt. Der Name bezieht sich keineswegs auf irgendwelche dunklen Geschäfte, vielmehr will er ausdrücken, daß dieses Städtedreieck die reichste Region Belgiens umschließt. Man könnte es vielleicht noch durch die viertgrößte Stadt Charleroi zum „Goldenen Viereck" ergänzen, denn die wallonische Stadt markiert den Mittelpunkt des traditionsreichen Industriegebiets im Süden des Landes. Trotz aller Strukturkrisen lebt und arbeitet hier noch immer mehr als eine halbe Million Belgier.

Antwerpen, kulturelles Zentrum der Flamen und führender Hafen Belgiens, liegt fast 90 km vom offenen Meer entfernt an der Schelde. Die Stadt, die heute einschließlich ihrer Vor- und Satellitenstädte rund 700 000 Einwohner zählt, steht in der Liste der größten Häfen Europas nach Rotterdam an zweiter Stelle – allerdings mit weitem Abstand, denn die natürlichen Verkehrsverbindungen zum Hinterland sind in Antwerpen viel ungünstiger als in Rotterdam. Erst nach dem Ausbau des belgischen Eisenbahnnetzes und der Fertigstellung des Albertkanals konnte die flandrische Stadt wieder an ihre Blütezeiten im 13. und 16. Jh. anschließen. In der

▶ *Nachdem der Hafen versandet war, verkümmerte die Weltstadt Brügge zu einem Provinzstädtchen, in dem es still und beschaulich zugeht. Malerisch spiegeln sich die Giebel der gotischen Häuser im Wasser.*

Nachkriegszeit profitierte Antwerpen vor allem vom Industrieansiedlungsprogramm der belgischen Regierung, das an der Schelde den Bau großer Erdölraffinerien und Betriebe der petrochemischen Industrie förderte. Die Diamantenindustrie Antwerpens, zu der die Bearbeitung von Schmuck- und Industriediamanten, die Herstellung diamantenbestückter Werkzeuge und der Handel mit Diamanten, den wertvollsten aller Mineralien, gehören, erlebte hingegen ihren Aufschwung bereits im vorigen Jahrhundert. Die Entstehung des sehr ertragreichen Handwerks geht zurück auf das 16. Jh. Nach den Fahrten von Kolumbus und Magellan wurden die harten Steine aus Übersee hierhergebracht, geschliffen, taxiert und verkauft. Hauptsächlich lag dieses Geschäft in den Händen von Juden, die vor der Inquisition aus Spanien und Portugal geflohen waren. Der erneute Boom im Diamantenhandel um die Jahrhundertwende stand in unmittelbarem Zusammenhang mit der Eroberung neuer Kolonien, wo neue Lagerstätten entdeckt wurden. Belgien und sein damaliger König Leopold II. (1865–1909) zogen zu jener Zeit kräftige Gewinne aus der Ausbeutung der Schwarzen in den Diamantminen des Kongo.

Die Stadt an der Schelde hat eine lange, wechselvolle Geschichte, die vermutlich bis in die Römerzeit zurückreicht. Ältestes erhaltenes Bauwerk ist der sogenannte Steen, Rest einer Burg, die im 9. Jh. am Ostufer der Schelde errichtet wurde, der damaligen Grenze zwischen Frankreich und Lothringen. Der historische Stadtkern geht jedoch überwiegend auf das 15. und 16. Jh. zurück, als Antwerpen nach dem Niedergang des benachbarten Brügge zur ersten Handelsstadt Europas aufrückte. Nun hatten die Bürger das notwendige Geld, um die schon um 1352 begonnene Kathedrale – mit ihrem 123 m hohen Turm buchstäblich ein „Höhepunkt" der Gotik in Belgien – fertigzustellen und mit den edelsten Schätzen auszustatten. Dazu gehören u. a. drei Gemälde von Peter Paul Rubens (1577–1640), der viele Jahre seines Lebens in Antwerpen lebte und arbeitete. Der ungemein produktive Künstler liegt in der St.-Jakobs-Kirche begraben, sein Wohnhaus mit dem Atelier ist heute Gedenkstätte. Viele der weit über 2000 Gemälde, die in der Werkstatt des Malerfürsten entstanden, sind im städtischen Museum der Schönen Künste ausgestellt. Rubens wohnte am östlichen Rand der Altstadt, in deren Zentrum sich der Große Markt, eine der eindrucksvollsten Platzarchitekturen Europas, befindet. Wie die Grand' Place in Brüssel wird der alte Hauptplatz Antwerpens von noblen Gildehäusern umgeben, die einigen vielleicht sogar noch besser gefallen als die der Landeshauptstadt.

▲ *Hinter den weißgekalkten Häuschen der Brügger Altstadt erhebt sich der 122 m hohe Backsteinturm der Liebfrauenkirche. Nach mehr als 250jähriger Bauzeit wurde er im Jahr 1549 vollendet.*

▲ *Die Büßerprozession im westflandrischen Veurne gleicht den Umzügen der Laienbruderschaften von Sevilla, bei denen in der Karwoche Heiligenfiguren von vermummten Männern durch die Straßen der andalusischen Stadt getragen werden.*

Gent, zur Zeit der Gründung Belgiens noch die zweitgrößte Stadt des Landes, wurde bald von Antwerpen überflügelt und hat gegenwärtig als städtisches Ballungsgebiet rund 250 000 Einwohner. Im Mittelalter eine der großen Tuchmacherstädte Europas und Residenz der Grafen von Flandern, ist der führende zentrale Ort des westlichen Flandern heute Teil eines industriellen Ballungsraums, der sich am Gent-Terneuzen-Kanal über die belgisch-niederländische Grenze hinweg bis zur Westerschelde erstreckt. Neben der schon seit dem Mittelalter in Gent beheimateten Textilindustrie, die Flachs aus heimischen Gefilden, Schafwolle aus England und später dann Baumwolle und Jute aus Übersee verarbeitete, entwickelte sich die Stadt am Zusammenfluß von Leie und Schelde neuerdings auch zum Standort der Petrochemie und der Stahlindustrie. Mit Azaleen, Begonien und Orchideen setzt Gent als Hochburg der belgischen Blumenzucht einige bunte Farbtupfer in die sonst eher nutzorientierte Palette seiner Produkte.

Schon der Beiname „Die Widerspenstige" verrät, daß die Freude der Landesherren an der reichen Handelsstadt oft durch Aufstände getrübt wurde. Mit unverhohlenem Stolz setzten die Bürger im 14. Jh. der Wasserburg 'sGravensteen, in der die Grafen von Flandern Hof hielten, den 95 m hohen Belfried als Wahrzeichen der freien Stadt gegenüber. Die gotische Prachtfassade des Rathauses ist wie der Glockenturm gleich-

▲ *Beim Karneval im wallonischen Binche sind die* Gilles *in ihren bunten Kostümen die Hauptpersonen. Das Fest geht auf eine Feier im Jahr 1549 zurück, die Maria von Ungarn, die Schwester Kaiser Karls V., zur Glorifizierung von Pizarros Sieg über die Inka in Peru ausrichten ließ.*

falls ein Statussymbol selbstbewußter Bürger. Sie wurde im 16. Jh. vollendet, kurz bevor die Stadt unter spanischer Herrschaft durch die Sperrung der Schelde für den Schiffsverkehr in eine schwere Wirtschaftskrise geriet. Die Kathedrale St. Bavo hingegen erinnert an die Bedeutung Gents als geistig-kulturelles Zentrum Flanderns. Das Gotteshaus, an dem viele Generationen gearbeitet haben, beherbergt den weltberühmten „Genter Altar", ein Werk der Brüder Hubert und Jan van Eyck.

In Brügge, das mit Gent durch einen Kanal verbunden ist, schufen diese beiden Maler ebenfalls eine Reihe herausragender Gemälde, z. B. ein Porträt der Frau Jan van Eycks, das heute neben anderen Meisterwerken altflämischer Malerei im Groeningemuseum hängt. Der Brügge-Gent-Kanal, Teil des dichten Netzes von Wasserstraßen in Belgien, setzt sich in einem Kanal fort, der bei Zeebrügge in die Nordsee mündet. Diesem Anfang des 20. Jh. fertiggestellten Wasserweg verdankt Brügge einen bescheidenen

neuen Wirtschaftsaufschwung, nachdem es infolge der Versandung des Meeresarms Zwin, der die Stadt bis zum Ende des 15. Jh. mit der Nordsee verband, seinen Rang als Handelsplatz verloren hatte. Der einstige Welthafen, der im 14./15. Jh. als eine der reichsten Handelsstädte Europas drei Geldbeutel im Wappen führte, war in einen tiefen Dornröschenschlaf versunken. Zumindest für die vielen mittelalterlichen Bauten war dies ein Glück, denn bei weiter anhaltendem wirtschaftlichem Aufschwung wären gewiß viele von ihnen durch moderne Gebäude ersetzt worden. So präsentiert sich Brügge dem Besucher jedoch als ein unvergleichliches „Freilichtmuseum" der bürgerlichen Kultur des Mittelalters. Die Stadt ist nicht nur wegen einzelner herausragender Baudenkmäler eine Reise wert, ihre Einzigartig-

▶ *„Eine der schönsten Städte der Welt": Die kleine Sankt-Bonifatius-Brücke überspannt eine der zahlreichen Grachten, denen Brügge seinen Beinamen „Venedig des Nordens" verdankt.*

▲ *Der mächtige Donjon (Hauptturm) der Wasserburg Laarne bei Gent*

keit besteht vor allem in der nahezu makellosen Geschlossenheit des historischen Stadtbilds. Wer das Brüsseler Rathaus gesehen hat, wird wahrscheinlich vom Rathaus am Burgplatz in Brügge enttäuscht sein. Doch ragen einige Bauten aus der Vielzahl sehenswerter Gebäude hervor: buchstäblich der 83 m hohe Belfried, von dessen Aussichtsplattform man Alt-Brügge überschauen kann, die Liebfrauenkirche mit einer Skulpturengruppe von Michelangelo und der Beginenhof. Von der Heiligblutkapelle nimmt alljährlich am Himmelfahrtstag die „Heiligblutprozession" ihren Ausgang, und der Gruuthusepalast steht für die vielen wunderschönen Patrizierhäuser. Unbedingt besichtigen sollte man das Memling- oder das Groeningemuseum, in denen die Schätze von Generationen wohlhabender Kaufleute aufbewahrt sind.

Die großen flandrischen Städte lassen sich in ihrer Struktur am besten mit denen der Hanse an der deutschen Küste vergleichen, waren doch einige Mitglieder der Deutschen Hanse oder besaßen zumindest große Kontore dieses Verbandes. Während in Lüttich, dem kulturellen Zentrum der Wallonie, immer noch zu spüren ist, daß die größte Stadt der französischsprachigen Region beinahe ein Jahrtausend Hauptstadt eines geistlichen Fürstentums war. Hier bestimmen nicht stolze Patrizierhäuser, sondern zahlreiche romanische und gotische Kirchen sowie der

Palast des Fürstbischofs das Bild der Altstadt. Zu den schönsten Gotteshäusern Lüttichs (Liège) gehören neben der romanischen Bartholomäuskirche (11./12. Jh.) der frühgotische Dom St. Jakob sowie die Paulskirche, die Bischofskathedrale der Stadt, die kostbare Reliquiare birgt. Die Zitadelle, errichtet in beherrschender Lage über der Talaue der Maas, erinnert an die schweren Gefechte, die immer wieder um den strategisch wichtigen Verkehrsknotenpunkt am Fuß der Ardennen ausgefochten wurden.

Schon früh entstanden in dem neben Charleroi wichtigsten Bergbaurevier Belgiens Kohlengruben und Schmelzhütten. Im 17. Jh. entwickelte sich Lüttich zu einer der großen Waffenschmieden Europas; hier wurden Kanonenrohre gegossen und später Handfeuerwaffen produziert. In Kriegen war die Stadt an der Maas deshalb stets eines der ersten Angriffsziele. Allein im 17. und 18. Jh. eroberten die französischen Armeen sie fünfmal, und in den beiden Weltkriegen des 20. Jh. nahmen deutsche Truppen die Stadt und Festung Lüttich nach erbitterten Kämpfen ein.

Von der Nordsee zu den Ardennen
Belgische Landschaften

Im Ersten Weltkrieg ergaben sich die Verteidiger Lüttichs den Deutschen erst nach tagelangem, schwerstem Beschuß. Das belgische Königreich wollte sich damals durch eine neutrale Politik aus den Konflikten zwischen den beiden „Erzfeinden" Deutschland und Frankreich heraushalten, wurde jedoch, nachdem es auf die Forderungen des Kaiserreichs nach freiem Durchzug nicht eingegangen war, im August 1914 bis auf einen schmalen Streifen entlang der Küste von deutschen Truppen besetzt. Die Belgier leisteten erbitterte Gegenwehr, machten sich wie die niederländischen Nachbarn die Landesnatur zunutze und öffneten vor den Angreifern die Deiche. Dennoch mußten sie zulassen, daß die Großmächte ihr Land als Schlachtfeld mißbrauchten. Jahrelang tobten die „Flandernschlachten" um Ypern und Langemarck, bei denen über 500 000 Soldaten fielen. Ein ähnliches Schicksal erlitten die Belgier noch einmal, als im Zweiten Weltkrieg deutsche Truppen am 18. Mai 1940 die belgischen Grenzen überschritten und das Land besetzten.

Die Trichter, die Bomben und Granaten in den Marschenboden Westflanderns schlugen, sind längst eingeebnet, die Verhältnisse in Mitteleuropa haben sich grundlegend gewandelt, und die einzigen Befestigungen, die heute dort noch errichtet werden, sind die

Sandburgen an der 65 km langen Nordseeküste. Hier reihen sich an den breiten, flach abfallenden Stränden und den sich landeinwärts anschließenden Dünen etwa zwei Dutzend Badeorte aneinander, mal mondän wie Knokke-Heist, mal familiär wie Nieuwpoort aan Zee. Die größten belgischen Küstenorte sind Ostende und Zeebrügge – beide bedeutende Seebäder, Fischerei- und Fährhäfen. Früher beliebte Sommerfrische gekrönter Häupter und standesgemäß mit Spielkasino, Pferderennbahn und elegantem Kurhaus ausgestattet, baden und kuren heute auch weniger betuchte Urlauber in Ostende. Immer häufiger entstehen einfache Villen oder Campingplätze zwischen den Villen und teuren Hotels.

Der mit 65 km vergleichsweise kurzen Meeresküste Belgiens steht eine mindestens 1500 km lange „innere Küste" gegenüber: nämlich die Ufer des Geflechts von Kanälen, Bächen und Flüssen. Sie ist als Urlaubsgebiet bei Wassersportlern und Freizeitkapitänen mindestens ebenso beliebt wie bei Spaziergängern, die gern auf den von Pappeln beschatteten Wegen am Wasser entlangwandern. Meist sind die Wasserläufe still und friedlich, winden sich noch im Naturzustand durch das ebene Land oder verlaufen schnurgerade von einem Binnenhafen zum andern. Niederbelgien, die westliche, nur wenig über dem Meeresspiegelniveau gelegene Hälfte des Königreichs, wird von der Schelde und ihren Nebenflüssen entwässert. Oberbelgien im Osten, das in den Ardennen fast eine Höhe von 700 m erreicht, gehört dagegen vorwiegend zum Flußgebiet der Maas. Die Flüsse haben sich hier im Eiszeitalter in engen Kerbtälern tief in das Gestein eingeschnitten. Bei einem aus Kalkstein bestehenden Untergrund kann es vorkommen, daß die Wasserläufe in Spalten und Schlucklöchern versickern, um an irgendeiner anderen Stelle aus einem Höhlenportal plötzlich wieder ans Tageslicht zu treten. Auf ihrem unterirdischen Lauf spülen sie Karsthöhlen aus den löslichen Schichten wie beispielsweise in der Nähe des wallonischen Städtchens Remouchamps, wo man in einer langgestreckten Grotte eine Bootsfahrt auf dem Höhlenfluß Rubicon unternehmen kann. Ein „Urahn" des Flüßchens Lesse schuf die berühmten Tropfsteinhöhlen von Han. Die für Besucher erschlossenen Gänge sind insgesamt etwa 3 km lang. Wie in einem unterirdischen Zauberreich wandert man hier durch Wälder von Tropfsteinsäulen, vorbei an bizarr gefalteten Sintergardinen zum „Salle du Dôme", einem 129 m hohen Höh-

▶ *In vielfach gewundenem Lauf bahnt sich die Semois, ein rechter Nebenfluß der Maas, ihren Weg durch die bewaldeten Hügel der Ardennen.*

▲ *Ein reizvolles Ausflugsziel in den Ardennen: Hoch auf einem steilen Felsen über dem Städtchen Bouillon, dem Geburtsort Herzogs Gottfried von Bouillon, haben sich die Überreste einer mittelalterlichen Burg erhalten.*

lensaal. Kleine eiserne Brücken führen über dunkle Abgründe, in deren Tiefen das Wasser plätschert. Unablässig rinnt das Sickerwasser über die Höhlenwände, formt skurrile Tropfsteingebilde wie die „Versteinerte Orgel" oder das „Haupt des Sokrates". Wenn der Besucher dann nach einem ausgedehnten Rundgang durch die Grotte wieder das helle Licht der Sonne erblickt, reibt er sich ungläubig die Augen, überrascht schaut er auf ein Radioteleskop, das nicht weit entfernt von der Höhle steht und in den Weltraum lauscht.

Man kann Belgien zwar mit dem Auto bequem in wenigen Stunden durchqueren, im allgemeinen dauert ein Ausflug jedoch länger als geplant. Überall gibt es sehenswerte Burgen, Schlösser und Herrenhäuser, etwa das in einem weiten Park gelegene Château des Princes von Chimay oder das Schloß Beloeil. Der französische Gartenarchitekt Le Nôtre (1613–1700), Schöpfer der Gärten von Versailles, versah es mit einem herrlichen Park.

Jede Stadt besitzt mindestens ein Museum; eines der interessantesten, das Freilichtmuseum Bokrijk, liegt unweit von Hasselt, der Hauptstadt der belgischen Provinz Limburg. In ihm sind alte Bauernhäuser, Mühlen, Dorfkirchen und andere historische Bauwerke aus ganz Belgien originalgetreu rekonstruiert.

Der frühe Herbst ist die schönste Zeit für eine Rundfahrt durch die Ardennen, vom fruchtbaren Vorland durch die vielfach gewundenen Flußtäler hinauf auf die sanft gewellten, bewaldeten Hochflächen. Die Plateaus werden größtenteils von monotonen Nadelholzkulturen eingenommen, an steileren Talhängen und am Rand der Moore im Hohen Venn wachsen jedoch Birken, Buchen, Eichen und Kastanien. Ihr buntes Laub hebt sich pittoresk vom düsteren Nadelholz ab. In den Waldlichtungen blüht pur-

purrot die Heide, und in den Hecken am Wegrand reifen Haselnüsse. Nach dem sommerlichen Ansturm der Touristen wird es auch im Wildpark von Han-sur-Lesse ruhiger. Die Wildschweine lassen sich die Eicheln und Bucheckern schmecken, die Mufflons wagen sich aus dem Dickicht heraus, und die Steinböcke klettern auf die Felsklippen, die vom Morgennebel feucht und glitschig sind.

Im Wallfahrtsort Saint-Hubert rufen die Glocken die Jäger zum Gottesdienst, mit dem im Herbst traditionell die Jagdsaison eröffnet wird. Selbst die Hundemeuten erhalten ihren Segen. Die Wälder in der Umgebung sind der Ursprungsort der Hubertuslegende. Diese besagt, daß vor langer Zeit, als die Bewohner der Ardennen noch an ihre heidnischen Götter glaubten, ein Jäger einen Hirsch durch den Wald hetzte. Als er den Hirsch endlich gestellt hatte und ihn erlegen wollte, bemerkte er ein goldenes Kreuz im Geweih des Tieres. Diese Erscheinung beeindruckte ihn so sehr, daß er sich taufen ließ. Später wurde er sogar zum Bischof von Lüttich geweiht und nach dem Tod vom Papst heiliggesprochen. Hubertus hatte beim Anblick des Hirsches das Gelübde abgelegt, nie wieder eines von Gottes Geschöpfen zu töten. Dies hielt die Jäger indes nicht davon ab, ihn bis zum heutigen Tag als Schutzpatron zu verehren. Im Herbst und Winter hört man dort Gewehrschüsse, den Klang der Jagdhörner und das Gebell der Hunde. Die Ardennen mit ihrem abwechslungsreichen Landschaftsmosaik aus Wäldern, Feldern, Mooren, Wiesen und Ödland sind ein ideales Jagdrevier. Außer Rot- und Schwarzwild gibt es beispielsweise auch Rehe, Hasen und Rebhühner in großer Zahl.

In den kleinen Städten der Wallonie bestimmten bis in die 50er Jahre hinein Bergbau und die Schwerindustrie das Leben. Rücksicht auf die natürliche Umwelt und die in Jahrhunderten gewachsene Kulturlandschaft wurde dabei kaum genommen. Seitdem die Zechen geschlossen und die Hochöfen erloschen sind, ergießen sich an den Wochenenden Ströme von Ausflüglern aus den benachbarten Gebieten in den landschaftlich reizvollen Südosten Belgiens. Landschaftsschutz kann in einer solchen Region sinnvollerweise nur grenzübergreifend betrieben werden. Ein Beispiel dafür ist der deutsch-belgische Naturpark Nordeifel, der auf belgischer Seite das Hohe Venn mit seinen Heiden und Hochmooren mit einschließt. Der breite Schieferrücken wird im Norden und Süden von Eupen und Mal-

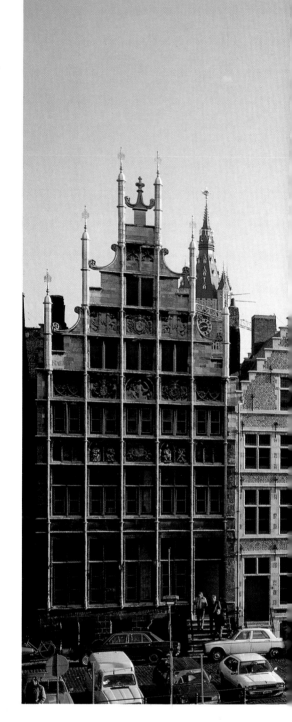

▶ *Als Damme im 13. Jh. noch Seehafen von Brügge war, entstand der wuchtige Turm der Liebfrauenkirche. Charles de Coster wählte das Städtchen zur Heimat seiner berühmten Romanfigur* Tyll Ullenspiegel.

▲ Gent: Albrecht Dürer nannte die Hauptstadt Ostflanderns „die große und herrliche Stadt". Wahrlich bestechend ist die Schönheit der prächtigen Fassaden der Zunfthäuser, die an der Uferstraße entlang der Graslei stehen. Das romanische Kornspeicherhaus vor dem Belfried wurde schon um 1200 errichtet.

◄ Die „Perle von Brabant" zeigt sich, als sei die Zeit stehengeblieben; Brunnen (1762), Rathaus (16. Jh.) und Tuchhalle (14. Jh.) der Stadt Zoutleeuw bilden am Marktplatz ein besonders schönes Ensemble.

◄◄ Gent: Bei einem Stadtbrand im Jahr 1602 verlor der Westturm der im 10. Jh. gegründeten St.-Baafskathedraal seinen Helm; in der linken Bildhälfte ist die Fassade der Tuchhalle zu erkennen.

▲ *Die erste Handelsbörse Europas wurde im 15. Jh. in Antwerpen gegründet; auch heute zeigt sich das Gebäude noch im alten Glanz.*

▲ *Das Rubenshaus in Antwerpen: Die Räume der prunkvollen „Residenz" des Malerfürsten wurden 1946 mit zeitgenössischen Barockmöbeln, Bildern und Leuchtern ausgestattet.*

medy flankiert – zwei Städten mit überwiegend deutschsprachiger Bevölkerung. Das Gebiet mußte Deutschland nach dem Ersten

◀ *Das Plantin-Moretus-Museum in Antwerpen enthält die Druckerwerkstatt der berühmten Buchdruckerfamilie; hier wurde einst der Grundstock für die später von Rubens geleitete Antwerpener Stecherschule gelegt.*

Weltkrieg abtreten, Pläne zur Rückgabe scheiterten in den 20er Jahren am Widerstand Frankreichs. Heute, im Zeitalter der europäischen Einigung, erübrigen sich solche Aktionen, denn die meisten Einwohner fühlen sich mittlerweile als perfekte Europäer: sie sprechen Deutsch als Muttersprache, lernen in der Schule Französisch und können sich gewöhnlich auch auf niederlän-

disch verständigen. Die Erinnerungen an die beiden Weltkriege sind in dieser Gegend des Königreichs allerdings noch lange nicht vergessen. Wenige Kilometer westlich von Malmedy endete im November 1944 die verlustreiche Ardennenoffensive, mit der die deutsche Heeresführung vergeblich versuchte, das Blatt in letzter Minute noch einmal zu wenden. Das im Nordwesten benachbarte Heilbad Spa war am Ende des Ersten Weltkriegs deutsches Hauptquartier. Berühmtheit erlangte das Kurstädtchen durch seine Mineralquellen, von denen sich seit dem 17. Jh. mehr oder weniger prominente Persönlichkeiten Heilung und Linderung ihrer Leiden versprachen – offenbar mit Erfolg, denn der Ortsname „Spa" ist in englischsprachigen Ländern rund um die Welt inzwischen gleichbedeutend mit unserem Begriff „Kurort". Die Namen der Städte Namur und Dinant wiederum übernahmen die Geologen in ihr Vokabular. Sie bezeichnen damit bestimmte Schichtenfolgen innerhalb des Karbons – eine Periode des Erdaltertums, der Mitteleuropa die ergiebigen Steinkohlenlager verdankt. Lange bevor man in der Wallonie mit der Förderung des schwarzen Goldes begann, waren das Maastal und die an der Maas gelegene Stadt Namur für prächtige Arbeiten aus dem gelben Edelmetall bekannt.

Wie Gott in Belgien
Leibliche Genüsse und religiöse Feste

„Die Politik der Staaten liegt in ihrer Geographie" – mit diesem in mehrfachen Varianten überlieferten Satz wies Napoleon einmal auf die Abhängigkeit politischer Entwicklungen von Gegebenheiten auf der Landkarte hin. Die Geschichte Belgiens bestätigt diese Aussage. Seine Unabhängigkeit erlangte es erst 1830 als Ergebnis einer Revolution gegen die niederländische Vormachtstellung, und so sollte es noch neun Jahre dauern, bis die Herrscher im Norden Belgiens Grenzen akzeptierten. Eingezwängt zwischen Frankreich, Deutschland und die Niederlande, konnte sich das junge Königreich dann auch zukünftig nur eingeschränkt den Einflüssen seiner Nachbarn entziehen. Eine Tatsache, die teilweise verheerende Folgen mit sich brachte – wie in den folgenden Kriegen –, die aber gleichzeitig ihre positiven Seiten hat. Frei nach dem Zitat des Korsen könnte man z. B. feststellen, die Gastronomie der Staaten liege in ihrer Geographie.

In der belgischen Küche ist der französische Einfluß unübersehbar, wobei die belgischen Köche ihre Lehrmeister zum Teil noch übertroffen und das Land zu einem Paradies für Feinschmecker gemacht haben.

▲ *Sanft fallen die feinsandigen Strände von Ostende an der belgischen Nordseeküste zum Meer hin ab – ideal für den Urlaub mit kleinen Kindern.*

Ostende ist für seine Austern und Garnelen bekannt, Kaninchen mit Pflaumen genießt man in Tournai, Aal grün in ganz Flandern, die Ardennen liefern Wild, Schinken und köstliche geräucherte Forellen. Bis weit nach Flandern hinein macht sich die Leidenschaft der Niederländer für Süßigkeiten bemerkbar, z. B. im Biskuitgebäck von Brügge oder im allseits beliebten Rosinenbrot.

Belgien ist ein katholisches Land, und die Religion spielt noch immer eine bedeutende Rolle, sowohl im Alltagsleben als auch an den Feiertagen. Selten lassen sich die Belgier die Freude an ihren geliebten Festen durch Probleme wie beispielsweise den schwelenden Sprachgruppenstreit, die extrem hohe Staatsverschuldung oder die in manchen Provinzen ungünstige Wirtschaftslage verderben. Die meisten Feste haben religiöse Wurzeln, etwa der Karneval, der vor allem in der Wallonie mindestens so ausgelassen wie in den rheinischen Städten gefeiert wird. Zu den Hochburgen des belgischen Karnevals gehört das Städtchen Binche zwischen Mons und Charleroi. Am Faschingsdienstag tanzen dort die *Gilles*, die „Jecken", wie man in Köln sagt, in buntem Kostüm und hohem Kopfputz aus weißen Straußenfedern durch die Gassen der malerischen Altstadt. Binche besitzt sogar ein eigenes Karnevalmuseum, in dem Masken und Kostüme aus vielen Ländern ausgestellt sind. In Malmedy heißen die Faschingsnarren „Haguettes".

Am letzten Wochenende im August feiern die Einwohner von Ath mit zahlreichen Gä-sten die „Hochzeit Goliaths". In einem Umzug ziehen dann die „Ather Riesen", über 4 m hohe, zentnerschwere Figuren, durch die Ardennenstadt. In der Fastenzeit feiern die *Chinels* von Fosse-la-Ville ihren Karneval, nicht selten tanzen sie beinahe so lange, bis sie vor Erschöpfung fast zusammenbrechen. Am dritten Sonntag vor Ostern findet in Stavelot der farbenprächtige Umzug der *Blancs-Moussis* statt.

Ernster geht es bei den Prozessionen zu, etwa bei der am Dreifaltigkeitssonntag in Mons, die an die Pest von 1348 erinnert. Auf einem goldenen Wagen führt man den Reliquienschrein der heiligen Waltrudis durch die wallonische Stadt. Anschließend findet auf dem Markt das St.-Georgs-Spiel statt, bei dem der Heilige nach langem Kampf den Drachen Doudou besiegt. Alljährlich am Himmelfahrtstag ist Brügge der Schauplatz der Heiligblutprozession. Sie gilt einer besonders kostbaren Reliquie: einigen Tropfen vom Blut Christi, die ein Graf vom Zweiten Kreuzzug aus dem Heiligen Land nach Flandern brachte. Auf heidnische Bräuche geht das Katzenspiel zurück, das jedes Jahr am zweiten Sonntag im Mai auf dem Großen Markt von Ypern stattfindet. Früher warf man dabei lebende Katzen – heute sind es Stofftiere – vom 70 m hohen Glockenturm, um so die bösen Geister zu vernichten. Im benachbarten Veurne tragen am letzten Julisonntag Männer in Büßergewändern schwere Holzkreuze durch die Stadt. Diese Prozession erinnert an das Pestjahr 1644.

▲ *Auf einem Berg in einer Schleife des Flüßchens Sûre liegt der kleine Ort Esch-sur-Sûre. Seit dem 10. Jh. ist dem Dorf eine Burg vorgelagert, von der man früher alle Zufahrtswege und Brücken kontrollieren konnte.*

Luxemburg

Zugleich Standort zukunftsträchtiger Industrien und einer der Hauptfinanzplätze Europas, spielt das seit 1354 bestehende Großherzogtum Luxemburg nach wie vor eine bedeutende Rolle im internationalen Geschehen.

MIT einer Landesfläche von nahezu 2600 km² gehört das zwischen Deutschland, Frankreich und Belgien liegende Großherzogtum zu den Kleinstaaten der Erde. Seit seiner Gründung im Jahr 1354 wechselte Luxemburg häufig seine Herrscher – es gehörte abwechselnd zu Burgund, zum spanischen Habsburgerreich, zu Frankreich, Österreich, den Niederlanden und zum Deutschen Reich –, blieb als Staatswesen jedoch erhalten und wurde 1867 schließlich unabhängig.

Nachdem das Großherzogtum bereits 1921/1922 mit Belgien eine wirtschaftliche Partnerschaft eingegangen war, gründete es 1944/1945 nach der Befreiung durch die Amerikaner zusammen mit den Niederlanden und Belgien eine Wirtschaftsunion. Diese mit den Anfangsbuchstaben der drei Ländernamen bezeichnete Benelux-Zollunion wurde im Jahr 1958 zu einer vollständigen Wirtschaftsunion erweitert und bildet einen der Grundsteine der Europäischen Gemeinschaft. Heute ist Luxemburg Sitz mehrerer europäischer

Institutionen, beispielsweise des Europäischen Gerichtshofs und des Generalsekretariats des Europäischen Parlaments.

Bis zum Beginn des 20. Jh. war das Großherzogtum Luxemburg ein reines Agrarland, dessen fruchtbarste Böden in den beiden südlichen Landesdritteln, im lößbedeckten Gutland, liegen, wo das Klima des Moseltals auch den Weinbau erlaubt. Der Norden, der Ösling, ist dagegen ein von tiefen Tälern durchzogenes Mittelgebirge, das bis auf 565 m ansteigt. Seit der Erschließung der

▲ *Malerisch gruppieren sich die Häuser von Clerveaux im Tal der Clerve um die mittelalterliche Burg und die zweitürmige Pfarrkirche. Serpentinen führen den Berg hinauf zur Benediktinerabtei mit ihrem weithin sichtbaren Turm, welcher der Abteikirche von Cluny nachempfunden ist.*

Eisenerzlagerstätten im Südwesten des Großherzogtums hat sich die Wirtschaftsstruktur vollkommen gewandelt. Luxemburg wurde zu einem international bedeutenden Eisen- und Stahlproduzenten. Man verließ sich allerdings nicht nur auf die Schwerindustrie, sondern siedelte in Zeiten, als in dem kleinen Land noch 30 Hochöfen rauchten, bereits andere Produktionszweige an. Gummi- und Kunststoffabriken stellten die Wirtschaft auf ein breiteres Fundament. Diese Wirtschaftspolitik hat sich inzwischen bezahlt gemacht, konnte das Großherzogtum doch die welt-

weite Stahlkrise besser meistern als die meisten anderen Industriestaaten.

Die im 10. Jh. auf einem Felsplateau über dem Tal der Alzette gegründete Stadt Luxemburg gehörte einst zu den stärksten Festungen Europas. Eine ihrer Besonderheiten sind die in den Fels gesprengten Kasematten, die sich in einer Länge von 20 km durch den Untergrund der Altstadt ziehen. Von den oberirdischen Sehenswürdigkeiten ist vor allem die Liebfrauenkathedrale erwähnenswert. Die ehemalige Benediktinerkirche ist ein wertvolles Baudenkmal der Spätgotik

und Renaissance. Am Großherzoglichen Schloß, in dem seit 1964 Großherzog Jean als luxemburgisches Staatsoberhaupt residiert, ziehen weniger der prunkvolle Renaissanceflügel als das militärische Zeremoniell der Wachtposten die Blicke der Touristen auf sich. Beliebte Reiseziele in der luxemburgischen „Provinz" sind neben malerischen Dörfern und Städten wie Esch-sur-Sûre oder Echternach vor allem die großartigen Burgen Vianden – die bei weitem mächtigste erhaltengebliebene mittelalterliche Verteidigungsanlage des Großherzogtums – und Hollenfels; die Festungsanlage wird 1129 erstmals urkundlich erwähnt.

◄ *Der mittelalterliche Stadtkern der Landesmetropole Luxemburg thront auf einem Felssporn über den Flüßchen Alzette und Pétrusse und vermittelt einen guten Eindruck von der ehemaligen Bedeutung der Stadt als Festung.*

▶ *Burgen beherrschen das Landschaftsbild Luxemburgs; von der Ruine Bourscheid hat man einen herrlichen Blick auf das Tal der Sûre.*

▲ *Das klassizistische Brandenburger Tor, 1788–1791 nach dem Vorbild der Propyläen der Akropolis von Athen erbaut, ist das Wahrzeichen Berlins. Seit August 1991 krönt die restaurierte Quadriga von Gottfried Schadow (1764–1850) wieder das Tor, das als historisches Symbol der deutschen Einheit gilt.*

Bundesrepublik Deutschland

Eine friedliche Revolution leitete den Prozeß ein, der am 3. Oktober 1990 in die Vereinigung des geteilten Landes mündete. Mit dem Fall der Mauer beginnt sich die Kluft zu schließen, die Deutsche in Ost und West mehr als vier Jahrzehnte lang trennte.

AUF den ersten Blick wirkt die Bundesrepublik Deutschland wie ein Land aus einem Guß, dessen Bevölkerung wie der überwiegende Teil seiner Landschaften zwischen der Nordsee und den Alpen erstaunlich einheitlich erscheinen. Von Nationalitätenkonflikten, die manche Staaten der Erde immer wieder erschüttern, blieb Deutschland seit langem verschont; bis auf eine kleine dänische Minderheit in Schleswig-Holstein und die Sorben in der Lausitz und im Spreewald sowie etwa 7 Mio. Auslän-

der sind alle Einwohner Deutsche. Rund 90 % der Landesfläche der Bundesrepublik Deutschland werden von weiten Ebenen und niedrigen Mittelgebirgen eingenommen. Das einheitliche Bild täuscht jedoch, denn in Wirklichkeit gliedern sich Deutschlands drei große Naturräume Norddeutsches Tiefland, Mittelgebirge und Alpen mit Vorland in Hunderte von Naturlandschaften unterschiedlicher Prägung. Große Vielfalt kennzeichnet auch die regionalen Kulturen, Traditionen und Dialekte. In ihr hallt noch

die lange Geschichte der Kleinstaaterei und politischen Zersplitterung nach, die erst 1871 mit der Reichseinigung beendet worden ist, der Deutschland aber auch seinen großen Reichtum an kulturellen Besonderheiten verdankt. Seit dem Dreißigjährigen Krieg (1618–1648) waren die Deutschen unterwegs auf dem oft sehr dornigen Weg von einer Kulturnation zur Staatsnation. Die Wiedervereinigung des Jahres 1990 war hoffentlich der letzte Schritt zu diesem Ziel.

▲ *Die Dünen auf Langeoog und den anderen deutschen Nordseeinseln sind mit Strandhafer, verschiedenen Gräsern und niedrigen, widerstandsfähigen Sträuchern bewachsen; hier und dort haben sich in geschützteren Lagen ein paar Bäume, vor allem Kiefern und Birken, auf dem sandigen Boden angesiedelt. Als Seebäder sind die Eilande ein beliebtes Ausflugsziel.*

Der deutsche Norden

W ASSER hat keine Balken." Vom nassen Element fühlen sich die meisten Deutschen höchstens im Urlaub angezogen. Sie sind ein Volk, das lieber auf dem festen Boden bleibt. Während in vielen anderen Ländern die Küsten besonders dicht besiedelt sind, liegen die großen Städte und Ballungsgebiete der deutschen Republik fast ausschließlich im Binnenland. Von den zwölf größten Städten Deutschlands sind nur zwei, die beiden bedeutendsten deutschen Hafenstädte, einigermaßen küstennah. Hamburg ist aber immer noch rund 110 km vom offenen Meer entfernt, Bremen rund 80 km. Vom Meer abhängige Wirtschaftszweige wie beispielsweise die Seeschiffahrt oder die Fischerei sind in der Bundesrepublik Deutschland nicht besonders hoch entwickelt. Die Handelsflotte des deutschen Wirtschaftsgiganten nimmt unter den

Flotten der Welt nur den 20. Rang ein; die bundesdeutsche Hochseefischerei schneidet im internationalen Vergleich noch weitaus schlechter ab. Lediglich die deutsche Schiffbauindustrie kann sich sehen lassen, obwohl auch sie in den vergangenen Jahren schwere Verluste hinnehmen mußte. Die übrige Wirtschaft in den Küstenländern ist gegenüber dem Westen und Süden der Republik im Rückstand, die Arbeitslosenzahlen sind im Norden höher, doch die Aussichten sind gut, daß die Wiedergewinnung des lange verlorenen ostdeutschen Hinterlandes die Verhältnisse bessert.

Waterkant, „Wasserkante", nennen die Norddeutschen in plattdeutscher Mundart den Küstensaum der Nordsee zwischen der Mündung der Ems und der dänischen Grenze. Die deutsche Nordseeküste ist 560 km lang, die Ostseeküste nur wenig länger. Die ähnliche Ausdehnung ist allerdings auch das einzige, was – außer dem Nord-Ostsee-Kanal – die beiden Küsten verbindet. Sie sind so unterschiedlich wie die beiden Meere. Die Nordsee ist ein typisches Gezei-

tenmeer; ihr Spiegel schwankt im täglichen Rhythmus von Ebbe und Flut durchschnittlich um etwa 2 m. In den Buchten und Mündungstrichtern der großen Ströme Elbe und Weser kann das Hochwasser im Fall einer Springflut, bei der die Anziehungskräfte von Sonne und Mond sich verstärken, aber auch 3–4 m über das Niveau des Niedrigwassers steigen. Wenn sich dann zum Flutstrom noch Stürme aus nordwestlichen Himmelsrichtungen gesellen, wird es gefährlich für die Küstenbewohner. Das aufgewühlte Meer nagt an den Deichen, kann sie bei schweren Sturmfluten durchbrechen und das ebene Land überschwemmen. Die letzte Sturmflutkatastrophe traf Hamburg am 16./17. Februar 1962, vielen Bewohnern wird sie noch im Gedächtnis sein; damals ertranken über 300 Menschen in den eiskalten Wassermassen, wurden Zehntausende obdachlos. Weit verheerendere Sturmfluten, etwa die Marcellusflut vom 16. Januar 1362, haben in früheren Zeiten schon viel größere Opfer gefordert und die Küstenlinie der Nordsee immer wieder aufs neue verändert.

▲ *Bremen: Das Alte Rathaus, in den Jahren 1405–1410 als gotischer Backsteinbau errichtet und zwei Jahrhunderte später im Stil der Weser-Renaissance umgestaltet, ist Ausdruck hanseatischen Bürgerstolzes und Wohlstands. Flüssige Schätze lagern in den Gewölben des berühmten Ratskellers unter dem Prachtbau: über eine halbe Million Flaschen deutscher Weine.*

▼ *Im Schnoorviertel wohnten früher Handwerker, Fischer und Seeleute. Heute beherbergen die liebevoll restaurierten Bürgerhäuser aus dem 15.–18. Jh. meist Galerien, Boutiquen und Kneipen.*

Das Meer gibt und nimmt
Inseln und Wattenmeer

Ohne die Inseln vor der Küste wäre der Angriff der Nordsee auf das Festland noch direkter. Die Inseln wirken wie große Wellenbrecher, hemmen den Aufprall der Fluten, werden dabei allerdings auch selbst von der Erosion aufgezehrt. Vor allem Sylt, mit knapp 100 km² Fläche die größte deutsche Nordseeinsel, verliert bei Sturmfluten immer wieder Land an das Meer. Die langgestreckte Insel gehört zur Gruppe der Nordfriesischen Inseln, 15 kleinen und größeren Düneneilanden, die im schleswig-holsteinischen Wattenmeer verstreut liegen. Die Kette der sieben großen Ostfriesischen Inseln zieht sich am Südrand der Deutschen Bucht von der Mündung der Ems bis zur Wesermündung. Beide Inselgruppen sind nach den Friesen benannt, die in den ersten Jahrhunderten unserer Zeitrechnung aus ihrem Kerngebiet in der heutigen niederländischen Provinz Friesland einwanderten und

sich an der deutschen Nordseeküste niederließen. Sie besiedelten auch das winzige, rund 50 km vor der Küste gelegene Felseneiland Helgoland, die jüngste und zweifellos sonderbarste Insel Deutschlands. Erst vor gut 100 Jahren überließen die Briten den roten Buntsandsteinfelsen, auf dem Hoffmann von Fallersleben im August 1841 sein „Lied der Deutschen", den Text der deutschen Nationalhymne, geschrieben hatte, dem Deutschen Reich im Tausch gegen das ostafrikanische Sansibar.

Anders als die aus Sand und Schlick bestehenden Nord- und Ostfriesischen Inseln besteht Helgoland überwiegend aus Buntsandstein und ist als ein mächtiger Klotz in der Nordsee ständig von Wasser umgeben. Die meisten anderen Nordseeinseln kann man

▶ *Hamburg: Kaum einer wird sich dem Reiz der zweitgrößten Stadt Deutschlands entziehen können. Reeperbahn und Elbchaussee, Staatsoper, Hafen und Binnenalster, viele Begriffe stehen stellvertretend für diese Stadt, Deutschlands „Tor zur Welt".*

▲ *Drei Nationalparks wurden im Wattenmeer der Deutschen Bucht eingerichtet. Sie sollen die „Kinderstube der Nordsee" vor der fortschreitenden Umweltzerstörung bewahren. Krabbenfischer dürfen im allgemeinen ihre Netze innerhalb der Schutzzonen auswerfen.*

bei niedrigstem Wasserstand zu Fuß oder mit dem Wagen erreichen, denn sie liegen im Wattenmeer, das bei Niedrigwasser bis auf einige tiefere Wasserläufe, Priele genannt, trockenfällt. Das Meer gibt bei Ebbe weite Flächen frei, an einigen Stellen ist das Watt 20–30 km breit. Das graubraune Watt, das für ein paar Stunden aus dem Wasser auftaucht, sieht für manchen Binnenländer nicht gerade einladend aus. Aber diese Welt aus Schlick und Sand, in denen man bis über die Knöchel versinken kann, ist einer der reichsten Lebensräume der Erde, ein Stück Wildnis im dichtbesiedelten Mitteleuropa. Wer den Vögeln zuschaut, die bei Niedrigwasser in Scharen im Watt einfallen und mit ihren Schnäbeln im Boden herumstochern, wird bald erraten, wer die Bewohner des Wattenmeeres sind: Schnecken, Würmer, Muscheln, Krebse und viele andere Tiere, die zu Tausenden, ja zu Zehntausenden auf einem einzigen Quadratmeter Meeresboden leben. In der Mehrzahl ernähren sie sich von organischen Sink- und Schwebstoffen, die mit dem Atemwasser aufgenommen werden. Um die Einzigartigkeit dieser Welt zwischen festem Land und offenem Meer zu bewahren, wurden zwischen 1986 und 1990 drei Nationalparks eingerichtet.

Die Pflanzen des Wattenmeeres – Seegras, Algen und Tange – sorgen dafür, daß sich der Meeresboden im Lauf der Zeit in Marschland verwandelt, das nur noch von Sturmfluten überschwemmt wird. Die Pflanzen halten den Schlick, den Ebbe und Flut heranspülen, mit ihren Wurzeln fest und tragen zur Verlandung des Wattenmeeres bei.

Land hinter Deichen
Die fruchtbaren Marschen

Der bis zu 50 km breite Marschengürtel entlang der deutschen Nordseeküste ist allerdings weniger ein Geschenk der Natur, sondern wurde der Nordsee wie in den benachbarten Niederlanden in jahrhundertelanger Mühe abgerungen. Stolz behaupten deshalb die Friesen: „Gott hat das Meer, der Friese die Küsten geschaffen." Die ersten Deiche entstanden um das Jahr 1000; Zug um Zug wurde seitdem die Küstenlinie ins Wattenmeer vorgeschoben. Ohne die Deiche würden die meist nur wenige Handbreit über, oft sogar unter dem Meeresspiegel gelegenen See- und Flußmarschen vollständig überflutet werden.

Die mühsame Landgewinnung zahlt sich aus, denn der fette, fruchtbare Marschenboden ist mehr als ein Trostpflaster für die Mühen und die ständige Bedrohung durch Sturmfluten. Stattliche Bauernhöfe, beispielsweise in der Haseldorfer Marsch an der Unterelbe oder auf der Halbinsel Eiderstedt, wo noch einige friesische Haubargen stehen, die – historisch gesehen – größten Bauernhäuser der Welt, sprechen für sich. Landschaftlich haben die tischebenen, als Acker- und Weideland genutzten Marschen ihren eigenen Reiz. Der Maler Emil Nolde (1867–1956) hat den Charakter dieser herben Landschaften in einigen seiner expressionistischen Gemälde vielleicht am besten eingefangen. Der Zauber des flachen, grasgrünen und weizengelben Landes an der Nord-

see, aber auch die vernichtende Gewalt der Natur und der tragische Kampf gegen die Elemente sind die Grundthemen, mit denen sich der Friese Theodor Storm (1817–1888), ein Vertreter des poetischen Realismus, in seinen Gedichten und Novellen beschäftigte.

Handel und Wandel
Deutsche Küsten- und Hafenstädte

Viele von Storms Erzählungen spielen in Husum, der „grauen Stadt am Meer", eine der wenigen größeren Hafenstädte an der deutschen Nordseeküste. Schöne alte Backsteinhäuser mit Treppengiebeln und Grachten erinnern in Friedrichstadt daran, daß die Stadt am Zusammenfluß von Eider und Treene von holländischen Glaubensflüchtlingen gegründet wurde. Fünf Jahre zuvor hatte König Christian IV. von Dänemark den Grundstein für Glückstadt gelegt, das einmal eine blühende Handelsstadt werden und dem dänischen Königshaus reiche Gewinne bescheren sollte. Das Städtchen an der Unterelbe konnte sich jedoch gegen die übermächtige Konkurrenz der Hamburger Kaufleute nicht durchsetzen. Ähnlich erging es Stade am linken Ufer der Elbe. Nach dem Dreißigjährigen Krieg wurde die reizvolle Hansestadt von den Schweden besetzt, und noch viele sehenswerte Bauwerke wie das Zeughaus und der Schwedenspeicher sind aus dieser Zeit erhalten. Stromaufwärts erstreckt sich in den Elbmarschen das Alte Land, das größte zusammenhängende Obstanbaugebiet Deutschlands, im Frühling zur Zeit der Kirsch- und Apfelblüte ein weißes Blütenmeer. Cuxhaven, heute der zweitgrößte deutsche Fischereihafen und das größte Seeheilbad der Republik, entstand als Vorposten der Hansestadt Hamburg an der Elbmündung.

Um die Mitte des vorigen Jahrhunderts erwarb Preußen ein paar hundert Hektar oldenburgisches Land am Jadebusen, um für seine neue Kriegsflotte einen eigenen Stützpunkt zu bauen. Im Jahr 1869 Wilhelmshaven genannt, entwickelte sich der Platz rasant zu einer Stadt, die später lange Standort der „Reichskriegsflotte" war. Heute versorgt ein bedeutender Tiefwasserhafen bei Wilhelmshaven Westdeutschland mit Erdöl und Erdölprodukten. Erdgas aus norwegischer Förderung wird dagegen in Emden an der Emsmündung, dem westlichsten deutschen Nordseehafen, angelandet. Die besten Zeiten der alten Handels- und Residenzstadt liegen schon lange zurück, jetzt richten sich ihre Hoffnungen auf einen neu entstehenden Hafen am Dollart, der Mündungsbucht der Ems, die hier die Grenze zu den Niederlanden bildet.

Bremerhaven, 1827 als Außenhafen der Hansestadt Bremen gegründet, ist wohl *die* deutsche Stadt, die mit dem Meer am engsten verbunden ist. Nahezu alles dreht sich hier an der Wesermündung um das Meer und um Schiffe. Der Hafen, die Schifffahrt und die Fischindustrie sind die weitaus wichtigsten Arbeitgeber. Das Deutsche Schiffahrtsmuseum, das Institut für Meeresforschung und eine Seefahrtsschule beschäftigen sich wissenschaftlich mit dem Meer oder bilden Seeleute aus, sogar der Zoo am Meer hat sich auf Meerestiere spezialisiert. Nicht zuletzt war Bremerhaven die deutsche Endstation für Ströme von Auswanderern, als diese noch per Ozeandampfer in Überseeländer reisten.

Bremen, die Mutter der Stadt an der Wesermündung, ist nicht so ausschließlich Seehafen wie ihre Tochter, mit der sie gemeinsam das Bundesland Freie Hansestadt Bremen bildet. Der Weserstrom mit seinen Sandbänken versperrte größeren Schiffen immer wieder den Weg in die schon tief im Binnenland gelegene Handelsstadt. „Klasse statt Masse" war deshalb seit jeher die Devise der Bremer Kaufleute, die vor allem mit hochwertigen Gütern wie Kaffee, Tabak, Wein oder Früchten handeln. Von jeher begnügte sich die Weserstadt jedoch nicht nur mit der Rolle einer Handelsmetropole, sondern sie galt schon im Mittelalter als „Rom des Nordens" und war als Bischofsstadt kulturelles Zentrum eines riesigen Einflußgebietes, das sich bis hinauf nach Island und Grönland erstreckte. Heute glänzt das traditionsbewußte Bremen mit einer Reihe bedeutender Museen, regem Musikleben und einer 1971 gegründeten Universität.

Seit die Blütezeit Bremens als führender deutscher Nordseehafen im 17./18. Jh. endete, schmückt sich die größere hanseatische Schwester Hamburg mit dem Titel „Tor zur Welt". Nicht nur mit ihren 1,6 Mio. Einwohnern zählt die Freie und Hansestadt zu den großen Metropolen der Welt. Viele meinen, der größte deutsche Seehafen hätte im Wettstreit mit Berlin und München durchaus die Nase vorn. Das liegt gewiß nicht allein an der Lage am großen Elbstrom, über den der Wind von der Nordsee her nach Hamburg hineinweht, an der weltbekannten Vergnügungsstraße Reeperbahn im Hafenviertel St. Pauli oder am sorgsam gepflegten, weltoffen-liberalen Image der Hanseaten. Die Stadtlandschaft erinnert mit ihren Kanälen und rund 2200 Brücken an Venedig oder Amsterdam, mit der grünen Patina der Kupferdächer an Kopenhagen und mit den vornehmen, von Parks und Gärten durchsetzten Wohnvierteln an London, ist dann aber doch wieder unverwechselbar hamburgisch.

Verglichen mit der quirligen Millionenstadt Hamburg, wirken selbst die größeren

▲ *Die sogenannte „Kriegsstube", um die Mitte des 15. Jh. errichtet, gehört zum Bauensemble des gotischen Lübecker Rathauses.*

▲ *Das Lübecker Holstentor ist ein stilvoller Rahmen für die stadtgeschichtlichen Sammlungen. Die schlanken Türme der Marienkirche (links im Bild) waren Vorbild der Backsteingotik im Ostseeraum.*

Hafenstädte an der Ostseeküste etwas provinziell. Wirtschaftlich können sie mit der zweitgrößten Stadt Deutschlands ohnehin nicht mehr konkurrieren. Dabei war die Ost-see bis zum Ende des Mittelalters als nordeuropäischer Handelsraum für Deutschland viel wichtiger als die Nordsee. Städte wie Lübeck oder Rostock gehörten zu den füh-

▲ *Das Schweriner Schloß wurde seit dem Mittelalter mehrmals umgebaut und erweitert. Für den Neubau des Schlosses von 1843 bis 1857 diente Chambord, eines der berühmtesten französischen Renaissanceschlösser an der Loire, als Vorbild.*

renden Handels- und Hafenstädten Europas. Erst nach der Entdeckung der Neuen Welt verlagerten sich die Warenströme mehr nach Westen. Bis in die Gegenwart war z. B. Lübeck durch die deutsche Spaltung von einem großen Teil seines natürlichen Hinterlandes abgeschnitten und dadurch wirtschaftlich und kulturell benachteiligt.

Als Binnenmeer, das weit in den Kontinent hineinreicht, bietet die Ostsee geradezu hervorragende Voraussetzungen für einen regen Warenaustausch zwischen den Ländern Mittel-, Nord- und Osteuropas. Die Probleme, welche die starken Gezeiten den Hafenstädten an der Nordseeküste bereiten, sind an der deutschen Ostseeküste unbekannt; der Wasserstand schwankt hier mit Ebbe und Flut nur minimal. Sturmfluten kommen viel seltener als an der Westküste Schleswig-Holsteins vor, und die tief in das Land eingeschnittenen Förden und Buchten geben hervorragende Naturhäfen ab.

Vor der deutschen Ostseeküste liegen zwar nur ein paar Inseln, dafür sind diese allerdings auch die größten in deutschen Gewässern. Das Bild der 926 km² großen Insel Rügen bestimmen die teils mehr als 100 m hohen weißen Kreidefelsen über der See. Der von einem Kranz von Halbinseln umgebene Kern Rügens, das „Muttland", war seit dem 7. Jh. von slawischen Völkern besiedelt. Im 12. Jh. kam die Insel in dänischen und nach dem Dreißigjährigen Krieg 1648–1815 in schwedischen Besitz. Westlich der Lübecker Bucht trifft man auf der Insel Fehmarn ebenfalls auf Spuren slawischer Stämme, die sich in der Völkerwanderungszeit auf der flachwelligen Moräneninsel niederließen und sie schlicht und einfach *Fe morze* (Im Meere) tauften. Die Insulaner blieben auch unter der Herrschaft der Dänen und Preußen ein überaus eigenwilliges Völkchen, für das Europa erst jenseits des 1 km breiten Fehmarnsunds begann.

In der im 12. Jh. gegründeten Hansestadt Lübeck hingegen pflegte man schon immer enge internationale Kontakte. Lübeck galt als die „Königin der Deutschen Hanse", jenes seit 1358 unter seiner Führung stehenden Interessenverbandes von Handelsstädten, zu denen im Westen Köln, im Osten Krakau, Riga und Reval gehörten. Hanseatischer Geschäftssinn und Wohlstand, von Thomas Mann (1875–1955), Sohn einer angesehenen Lübecker Kaufmannsfamilie, in seinem Roman *Die Buddenbrooks* gewissermaßen aus erster Hand beschrieben, spiegeln sich trotz der schweren Kriegsschäden in den prachtvollen Backsteinbauten der Lübecker Altstadt wider. Wer kennt es nicht, das wuchtige doppeltürmige, im Jahr 1477 vollendete Holstentor – Wahrzeichen der Stadt? Die Rolle des deutschen „Tors zum Norden" beanspruchen neben der Stadt an der Trave inzwischen auch Kiel, das Verwaltungs- und Industriezentrum Schleswig-Holsteins, und Rostock, jahrzehntelang die bedeutendste Hafenstadt der ehemaligen DDR, das im nicht mehr geteilten Deutschland ebenfalls mit Lübeck konkurrieren wird.

▶ *Der Neue Markt mit seinen schmucken Giebelhäusern ist die „gute Stube" Rostocks. Die Marienkirche (ab 1230) – hinter der restaurierten Häuserzeile –, von außen eher behäbig wirkend, besitzt eine reiche Ausstattung, darunter einen spätgotischen Flügelaltar und eine interessante astronomische Uhr (1472).*

▶▶ *Blick vom Turm der Nikolaikirche auf die Rückseite der Schaufassade des Stralsunder Rathauses und den Alten Markt. Der Backsteinbau entstand im 13. Jh. nach einem großen Stadtbrand und diente ursprünglich als Kaufhaus. Das Bürgerhaus gegenüber mit seinem kunstvoll gemauerten Staffelgiebel entstand um die Mitte des 15. Jh.*

▲ *An den Ufern der Müritz, des zweitgrößten Sees Deutschlands, kommen sich Tourismus und Naturschutz noch kaum ins Gehege. Gleich in der Nähe dieses Feriendorfs beim Städtchen Röbel liegen große Brutgebiete von Watt- und Wasservögeln. Am Ostufer der Müritz kann man noch Seeadler, Fischadler und Kranich in freier Wildbahn beobachten.*

Von Förden und Bodden
Land an der Ostsee

Die Ostsee, die sanftere Schwester der Nordsee, ist ein erdgeschichtlich sehr junges Meer. Noch bis vor 12000 Jahren bedeckten die kilometerdicken Eismassen skandinavischer Gletscher das gesamte Meeresbecken zwischen Lappland und der dänischen Ostseeinsel Langeland.

Die deutsche Ostseeküste lag damals am Grenzsaum des gewaltigen Eispanzers. Der verzweigte sich am Rand in einzelne Gletscherzungen, die in den lockeren Gesteinsschichten tiefe Mulden ausfurchten. Die heutige Küstenlinie Schleswig-Holsteins mit ihren Buchten zeichnet die Umrisse der eiszeitlichen Gletscherzungen zwischen Flensburg und Lübeck oft sehr genau nach. Manche Förden, wie die länglichen, schmalen Buchten auch heißen, wurden wahrscheinlich vom Schmelzwasser ausgespült, das unter den Gletschern in Eistunneln abfloß. Typisch für die Küste Mecklenburg-Vorpommerns sind die Bodden, seichte, in viele kleinere schüsselförmige „Bottiche" zerlappte Meeresbuchten, die durch einen engen Ausgang mit dem Meer in Verbindung stehen. Die Bodden, die z. B. die Insel Rügen in einzelne Landzungen zergliedern, wurden ebenfalls vom Gletschereis geformt und anschließend überflutet.

Mit der Hinterlassenschaft der eiszeitlichen Gletscher kommen die Badegäste an der Ostseeküste des öfteren besonders an den Stränden vor den Steilufern in hautnahen Kontakt. Die Gestade der Ostsee sind vielfach mit großen Gesteinsblöcken und Geröllen bedeckt, die von den Eisströmen oft über Hunderte von Kilometern aus dem hohen Norden herangeschleppt und im norddeutschen Tiefland abgelagert wurden. Die Brandung spült das grobe Geröll aus den eiszeitlichen Ablagerungen. Es kann sich lohnen, den Strand genauer zu betrachten, denn manchmal versteckt sich ein Bernstein zwischen den Kieseln. Meeresströmungen transportieren das „Gold des Meeres" von der samländischen Küste nach Westen, gelegentlich findet man an den Stränden zwischen der Insel Rügen und der Lübecker Bucht nach Stürmen bis zu 1 kg schwere Brocken des fossilen Harzes. Meist sind es jedoch ganz gewöhnliche Gesteine wie Feuerstein, Granit und Gneis aus Finnland, gelegentlich als riesige Blöcke wie der Buskam, ein Findling vor der Ostspitze Rügens, dessen Gewicht auf 1600 t geschätzt wird.

Die Gletscher der jüngsten Eiszeit ließen vor etwa 12000 Jahren beim Abschmelzen Landschaften zurück, die wir heute etwas hochtrabend als „Holsteinische Schweiz" oder „Mecklenburger Schweiz" bezeichnen: bucklige Welten aus Moränenhügeln, manche von schönen Buchenwäldern bestanden, oder fruchtbares Ackerland, dazwischen Seen jeder Größe, vom wenige Quadratmeter großen Tümpel bis zur 117 km^2 großen Müritz in Mecklenburg-Vorpommern, dem zweitgrößten deutschen See, den die slawischen Ureinwohner zu Recht *Morcze* (Kleines Meer) nannten. Theodor Fontane (1819–1898), der seine Heimat auf Schusters Rappen durchstreifte und in den *Wanderungen durch die Mark Brandenburg* beschrieb, wollte den Berlinern einst die Mecklenburgische Schweiz als Ausflugsziel schmackhaft machen. Die Ausflügler ziehen freilich noch immer die Ostseestrände vor, und das malerische Hügelland blieb bis in heutige Tage eine ländliche Idylle für Künstler und für Naturfreunde.

Ostseestädte
Backsteingotik und Spuren der Schweden

Kunstliebhaber zieht es in die Städte an der Ostseeküste und im benachbarten Hügel- und Seenland, auch wenn sich hinter den restaurierten Fassaden der Bauten der norddeutschen Backsteingotik und Renaissance heute oft nur noch Verfall verbirgt. In Schwerin, heute wieder Landeshauptstadt von Mecklenburg-Vorpommern, erinnert der gotische Backsteindom aus dem 14. Jh. an die Zeit, als die Stadt kirchliches Zentrum von Mecklenburg war. Seit dem Ende des 15. Jh. hatten die Herzöge von Mecklenburg ihre Residenz auf einer Insel südlich der Altstadt. Dort entstand um die Mitte des vorigen Jahrhunderts das Schweriner Schloß nach

▲ *Mahnmal: die im Zweiten Weltkrieg zerstörte, einst im Stil der Neuromantik erbaute Kaiser-Wilhelm-Gedächtniskirche in Berlin*

▲ *Der 1884–1894 errichtete Monumentalbau des Reichstags; vor den Zerstörungen durch Brand und Bombardierungen trug das Gebäude eine mächtige Kuppel.*

Spuren dieser Epoche sind aus dem Stadtbild verschwunden, jetzt wird es beherrscht von den Bauwerken der norddeutschen Backsteingotik: der Nikolaikirche, dem Katharinenkloster, einer der größten mittelalterlichen Klosteranlagen im Ostseeraum, vor allem aber vom Rathaus, das mit seiner reichverzierten Fassade stolz vom einstigen Wohlstand der Hansestadt zeugt. In Greifswald, das man von Stralsund über die Küstenstraße in einer halben Autostunde erreicht, ist alles ein wenig bescheidener als in der Stadt am Strelasund. Die Heimatstadt des Malers Caspar David Friedrichs (1774–1840) besitzt dafür einen unversehrten Altstadtkern mit schönen Bürgerhäusern und eine kleine, aber traditionsreiche Universität, an der beispielsweise einst der Humanist Ulrich von Hutten (1488–1523) und der Dichter Ernst Moritz Arndt (1769–1860) studierten.

Berlin und Umgebung

DIE Stadt feierte zwar erst vor kurzem ihren 750. Geburtstag, der Weg Berlins in die historische Bedeutung als Hauptstadt Preußens und – jetzt zum zweitenmal – als deutsche Hauptstadt begann indes vor etwa dreieinhalb Jahrhunderten. Auf zwei sandigen Inseln in den Sümpfen von Spree und Havel entstanden die Handelsplätze Cölln (Kolonie) und Berlin, die um 1240 erstmals in Urkunden erwähnt werden. Im 14./15. Jh. wuchsen beide Orte zu einer Stadt zusammen, in der die Markgrafen von Brandenburg 1443 ihr Residenzschloß errichteten. Friedrich Wilhelm von Brandenburg (1640–1688), der „Große Kurfürst", gab nach dem Dreißigjährigen Krieg den Anstoß für die Entwicklung Berlins, der vom ostdeutschen Residenzstädtchen zur Weltstadt führen sollte. Französische Glaubensflüchtlinge, die Hugenotten, denen er Asyl gewährte, brachten französische Lebensart, neue handwerkliche Techniken, viel Gewerbefleiß und damit ein kleines Wirtschaftswunder ins rückständige Brandenburg. Zeitweise machten die Einwohner französischer Abstammung über ein Viertel der Berliner Bevölkerung aus. Friedrich Wilhelm holte aber auch Glaubensvertriebene aus anderen Ländern Europas in seine Residenzstadt, etwa aus Österreich, Mähren und Holland, dazu Deutsche aus allen Teilen des Reichs. Berlin wurde auf diese Weise früh zu einem Schmelztiegel mit beinahe kosmopolitischer Atmosphäre und ist auch heute wieder die deutsche Großstadt mit dem höchsten Ausländeranteil, nämlich etwas unter 10% der Einwohner.

dem Vorbild des Loireschlosses Chambord. Im benachbarten Wismar steht der „Alte Schwede". Bis 1803 residierte in diesem Giebelhaus der schwedische Stadtkommandant. Die Hafenstadt gehörte bis dahin zu Schweden und war von den schwedischen Königen zur stärksten Festung Europas ausgebaut

worden. Sehenswert sind auch das klassizistische Rathaus von 1819 und die sogenannte „Wasserkunst", ein im Stil der niederländischen Renaissance erbauter Pavillon, der die Stadt bis 1897 über Holzröhren mit Trinkwasser versorgte. Auch Stralsund hatte von 1632 bis 1815 seine „Schwedenzeit". Die

▲ *Schloß Charlottenburg, davor das Reiterstandbild des Großen Kurfürsten Friedrich Wilhelm; unter seiner Führung (1640–1688) erlebten Berlin und ganz Brandenburg-Preußen nach dem Ende des Dreißigjährigen Kriegs ihren Aufschwung.*

Die Karriere Berlins zur Hauptstadt Preußens und des Reichs, schließlich zur Weltmetropole war sehr steil. Nach einem mittel-

▼ *Die Büste der Nofretete (um 1350 v. Chr.) im Ägyptischen Museum, einem der Glanzstücke unter den vielen Museen Berlins. Weltruf genießt es wegen seiner Sammlungen altägyptischer, vorderasiatischer, frühchristlich-byzantinischer und griechisch-römischer Kunstwerke.*

alterlichen Stadtkern wird man am Zusammenfluß von Havel und Spree vergeblich suchen; das Stadtbild wurde erst in den letzten drei Jahrhunderten geformt, ihr Kern vor allem unter den Hohenzollernkönigen Friedrich I. (1688–1713), Friedrich II. (1740–1786) und Friedrich Wilhelm II. (1786–1797). Als Berlin Hauptstadt des neugegründeten deutschen Kaiserreichs wurde, setzte ein gewaltiger Zustrom von Menschen aus ganz Deutschland ein, der die Bevölkerung der Stadt von 1871 bis 1900 um eine Million wachsen ließ. In dieser Zeit entstand um das „friderizianische Forum" mit seinen repräsentativen Bauten, breiten Boulevards und großzügigen Parks für die sogenannte „Wilhelminische Ringstadt" ein Gürtel trister Mietskasernen, mit düsteren Hinterhöfen und viel Elend. Der Zeichner Heinrich Zille (1858–1929) hat dieses proletarische „Milljöh" mit dem Stift und der Fotokamera für die Nachwelt festgehalten. Wohlhabendere Berliner zog es schon damals ins „Grüne", in die Landhaus- und Villensiedlungen im Grunewald, an den Wannsee, in die Wälder und an die vielen Seen, die sich durch die Außenstadt ziehen.

Wieder Hauptstadt
Berlin wächst zusammen

Als Adolf Hitler 1939 den Zweiten Weltkrieg vom Zaun brach, lebten in der blühenden Metropole, die sich mit London, Paris und Wien messen konnte, über 4 Mio. Menschen. Mit dem Untergang des Dritten Reichs, dessen letzte dramatische Akte sich in der Stadt abspielten, ging, so schien es, auch Berlin unter – als ein riesiger Trümmerhaufen.

Berlin hat überlebt und schickt sich an, wieder seinen früheren Platz unter den Hauptstädten der Welt einzunehmen, nachdem es geteilt und, was den westlichen Teil betrifft, lange an der Nabelschnur westlicher Hilfe als „Frontstadt" des kalten Kriegs in seiner Entfaltung gehemmt war. Die wechselvolle Geschichte der Berliner Nachkriegszeit bis zur Vereinigung beider Teile ist hinlänglich bekannt, besser wahrscheinlich als vieles, was die Stadt an Sehenswürdigkeiten denen zu bieten hat, die seit kurzem ungehindert alle Bezirke Berlins durchstreifen und erleben können.

Forum Fridericianum an der Hauptachse Unter den Linden. Wie es sich für eine Hauptstadt gehört, ist Berlin auch für Museumsbesucher mehr als eine Reise wert. Allein im Osten der Stadt gibt es zwei Dutzend große, international bekannte Museen wie das Bodemuseum und das Pergamonmuseum, beide auf der Museumsinsel zwischen zwei Armen der Spree, mit bedeutenden Sammlungen altägyptischer und vorderasiatischer Kunst. Im Westen setzen die Staatlichen Museen Preußischer Kulturbesitz der vielseitigen Museenlandschaft Glanzlichter auf. Das Theater- und Musikleben Berlins könnte ebenfalls leicht zwei Weltstädte füllen; jeder der beiden Teile der Stadt leistete sich ein großes Opernhaus sowie Schauspielhäuser, Kammerspiele und Volksbühnen, insgesamt über 40 Häuser – wahrscheinlich zu viele für den Kulturetat der neuerdings wiedervereinigten Stadt.

Rund um Berlin
Schauplätze preußischer Geschichte

Im Schatten einer Metropole wie Berlin müssen andere Städte beinahe zwangsläufig verkümmern. Anders als in den Ländern westlich der Elbe, wo eng benachbarte Großstädte, zum Beispiel Köln und Düsseldorf, gleichen Rang beanspruchen, ist die deutsche Hauptstadt von Städten umgeben, die meist noch nicht einmal die Schwelle zur Großstadt überschritten haben. Die Stadt Brandenburg, die der umliegenden Mark ihren Namen gab, war im Mittelalter unbestrittenes Zentrum zwischen Elbe und Oder, doch sie sank nach dem Dreißigjährigen Krieg auf die Stufe einer Landstadt herab, während Berlin seinen Aufschwung begann. Brandenburg behielt zwar den Ehrentitel „Chur- und Hauptstadt", trat aber nur im Revolutionsjahr 1848, als die aus Berlin vertriebene preußische Nationalversammlung in der alten Bischofsstadt tagte, für ein paar Wochen wieder ins Licht der Geschichte. Die Abgeordneten tagten damals im Dom St. Peter und Paul, dem ältesten erhaltenen Bauwerk der Mark Brandenburg (Baubeginn 1165), einer wahren Schatzkammer mittelalterlicher Steinmetzkunst.

Das mecklenburgische Neubrandenburg, zwischen bewaldeten Moränenhügeln am Tollensesee gelegen, hat seinen Namen wie das „alte" Brandenburg von dem stark befestigten slawischen Fürstensitz Brennabor an der Havel. Die „Stadt der Tore" mit ihrem nahezu unversehrten mittelalterlichen Mauerring, ehemals die bedeutendste Stadt im östlichen Mecklenburg, wurde im 17. Jh. ebenfalls von Berlin überschattet und blieb ein bescheidenes Landstädtchen, dem nur die Dichter Fritz Reuter (1810–1874) und

▲ *Das Rote Rathaus (1861–1869) im östlichen Teil Berlins gehört zu den bemerkenswerten Monumentalbauten aus wilhelminischer Zeit. Seit September 1991 ist das von Grund auf renovierte Gebäude wieder der offizielle Amtssitz der Berliner Regierung.*

Die Spuren der langen Spaltung sind im Stadtbild und in der Kulturlandschaft Berlins unübersehbar, auch wenn die Mauer inzwischen bis auf einige mahnende Reste beseitigt worden ist. Der Potsdamer Platz, einst einer der belebtesten Plätze Europas, verödete, und die Straße Unter den Linden, früher die Flaniermeile Berlins, endete jahrzehntelang abrupt am verbarrikadierten Brandenburger Tor. In der geteilten Stadt entwickelten sich zwei Zentren: das eine im Westen rund um die Kaiser-Wilhelm-Gedächtniskirche und am „Ku'damm", wie die für ihr loses Mundwerk bekannten Berliner

den Kurfürstendamm nennen, das andere im Osten. Dort ist, an der Spree, im Nikolaiviertel ein sorgfältig restauriertes Stück Altberlin zu besichtigen. Rundherum schuf sich die DDR-Führung nach dem Bau der Mauer ihr mit allen notwendigen Attributen einer eigenen Hauptstadt ausgestattetes Zentrum der Macht. Weit attraktiver ist etwa das klassizistische Bauensemble am Platz der Akademie (früher Gendarmenmarkt) mit dem Deutschen und dem Französischen Dom sowie dem von Karl Friedrich Schinkel um 1820 erbauten Schauspielhaus oder das unter Friedrich dem Großen angelegte

▲ *Zum ältesten Teil der Parkanlage von Sanssouci gehört das Chinesische Teehaus (1754–1756), in dem wertvolles chinesisches Porzellan ausgestellt ist.*

Johann Heinrich Voß (1751–1826), Übersetzer der Werke Homers, ein wenig Glanz verleihen konnten. Nachdem der Eiserne Vorhang gefallen ist, birgt die Randlage der alten Messe- und Handelsstadt Frankfurt/ Oder an der Grenze zu Polen keine Nachteile mehr, sondern eröffnet neue wirtschaftliche Perspektiven. Ungefähr 30 km südlich von Frankfurt entstand nach 1950 am westlichen

▶ *Friedrich der Große höchstpersönlich entwarf die Pläne für das einige Jahre nach seiner Thronbesteigung (1740) auf einem ehemaligen Weinberg erbaute Schloß von Sanssouci. Es spiegelt deutlich die Begeisterung des preußischen Königs für die französische Kultur wider.*

Ufer der Oder um ein großes Eisenhüttenkombinat die erste „sozialistische Stadt" der ehemaligen DDR. In der stadtplanerischen Grundidee unterscheidet sich Eisenhüttenstadt freilich kaum von modernen Retortenstädten des Westens, und wirtschaftlich stand das ehrgeizige Projekt wegen seiner ungünstigen Lage im Binnenland von vornherein unter keinem guten Stern.

Potsdam
Macht und Kunstsinn

Eine Stadt im ostdeutschen Binnenland zwischen Elbe und Oder vermag vielleicht das Selbstbewußtsein der Berliner ein wenig zu erschüttern, nämlich Potsdam. Direkt an den Südwesten Berlins angrenzend, ist Potsdam nach seiner Einwohnerzahl zwar ein David. Ihre historische Bedeutung und ihre Sehenswürdigkeiten aber lassen sie den Vergleich mit der Millionenstadt an der Spree nicht scheuen.

Wie im Fall Berlins begannen die glanzvollsten Zeiten der schon vor fast 1000 Jahren in einer Urkunde erwähnten Stadt erst relativ spät, nämlich im Jahr 1660, als der Große Kurfürst Potsdam zur Residenz des brandenburgisch-preußischen Staates ausbauen ließ. Das Edikt von Potsdam zugunsten der Hugenotten im Jahr 1661 sorgte für den Aufschwung von Manufakturen für Fayencen, Kristallglas und Seide. Kolonisten aus Holland, Rußland, der Schweiz und allen Gegenden Deutschlands brachten ihre eigenen Gewerbe mit, die nicht zuletzt der Ausrüstung der immer stärker werdenden preußischen Armee dienen konnten. Keiner der preußischen Monarchen ließ es sich nehmen, seine Residenz mit weiteren Bauwerken zu schmücken. Noch kurz vor Ende des Ersten Weltkriegs wurde Schloß Cecilienhof im Park von Sanssouci fertiggestellt, das Gebäude, in dem im Juli/August 1945 die Siegermächte des Zweiten Weltkriegs auf der Potsdamer Konferenz über die Geschicke des besiegten Deutschlands entschieden.

Einigermaßen „sorgenfrei" und ohne Zerstörungen, fast unbelastet vom Zeitgeschehen, haben Schloß und Park Sanssouci die zweieinhalb Jahrhunderte seit der Grundsteinlegung und auch den Zweiten Weltkrieg überstanden. Die weitläufige Anlage mit Palästen und Pavillons, Tempeln, Grotten, Springbrunnen und Skulpturen zieht jährlich Hunderttausende von Gästen aus aller Welt an. Diese Touristenströme wären gewiß nicht im Sinn Friedrichs II., der in seinem 1745–1747 erbauten Sommerschloß Ruhe und Erholung suchte und sich der Musik und der Literatur widmete, die er über alles schätzte. Wohl nicht ohne Grund ist die Bibliothek der künstlerisch vollendetste Raum des Rokokoschlosses. Die Nachfolger des Alten Fritz beauftragten andere Baumeister, die auf dem rund 300 ha großen Gelände zwischen dem Forst Potsdam im Nordwesten und dem Wildpark im Süden mit ihren Bauwerken und Gärten die künstlerische Vielfalt von vier Generationen preußischer Macht dokumentierten.

Im Land Fontanes
Sandboden und Spreewaldidylle

Der Sizilianische Garten oder das Paradiesgärtchen von Sanssouci passen dabei gar nicht so recht in eine Gegend Deutschlands,

die früher wegen ihrer sandigen Böden abfällig „des Reiches Streusandbüchse" genannt wurde und bis zur Mitte des vorigen Jahrhunderts größtenteils karges Heideland war. Heute prägen Kiefernwälder das Landschaftsbild, und mit genügend Dünger kann das Land freilich gewinnbringend genutzt werden, vor allem in dem Gürtel rund um Berlin, der im Lauf der Zeit in einen einzigen großen Garten mit Obst, Gemüse und Blumen verwandelt wurde.

Schwieriger war die Kultivierung der Sümpfe, Moore und Bruchwälder in den Urstromtälern, etwa im Havelland, wo sich die eiszeitlichen Täler vereinigen, oder im Oderbruch, das vor seiner Trockenlegung vor ca. 200 Jahren nicht wie heute Gurken und andere Gemüsesorten, sondern Aale bis nach Italien exportierte. Die preußischen Könige trieben die Kultivierung der Moore und Bruchwälder energisch voran. Das Havelland beiderseits der unteren Havel und das Oderbruch verwandelten sich im 18. Jh. in fruchtbare Kornkammern. Trotz dieses Kultivierungswerks wurden jedoch einige Gebiete in ihrem ursprünglichen Zustand erhalten, Lebensräume für so selten gewordene Tiere wie z. B. die sehr seltenen Großtrappen oder den ebenso raren Fischotter.

Ein Naturparadies besonderer Art betritt man am Mittellauf der Spree nordwestlich von Cottbus: den Spreewald, das „grüne Venedig" Norddeutschlands oder das „endlos wirre Flußrevier", wie Theodor Fontane das Labyrinth von Flußläufen, Gräben und Kanälen nannte. Am Ende der jüngsten Eiszeit lagerte die Spree an der Mündung in das Urstromtal einen großen sandigen Schwemmfächer ab, auf dem die Wasserläufe wie die Fasern eines aufgedrehten Seils auseinanderstreben und sich flußabwärts wieder zu einem Strang vereinigen. Die slawischen Sorben, die den Spreewald besiedelten, verbanden die verästelten „Fließe" noch durch künstliche Gräben und Kanäle. Das Geflecht der Wasserläufe soll zusammen etwa 300 km lang sein, davon sind knapp 200 km mit dem Kahn befahrbar. Manche Dörfer im Spreewald erreicht man nur auf dem Wasserweg, selbst der Postbote stakt hier seinen Kahn durch die stillen Gewässer und wirft seine Fracht in die Briefkästen, die am Bootssteg hängen. Was für die Einheimischen ganz alltäglich ist, ist für die heutigen Ausflügler ein aufregendes Freizeitvergnügen; sie lassen sich von einem der „Spreewaldgondoliere" durch das Labyrinth der Kanäle staken.

◄ *Das Spreewaldlabyrinth östlich von Lübbenau ist nur mit Booten befahrbar. Eine Kahnpartie durch diese amphibische Welt, in der noch der Fischotter und der Schwarzstorch zu Hause sind, ist seit je Bestandteil eines Ausflugs in das „Grüne Venedig".*

▲ „Sächsische Akropolis": Der Burgberg von Meißen ragt steil über der Stromaue der Elbe auf. Auf dem Bergsporn drängen sich die spätgotische Albrechtsburg, der Dom und das Bischofsschloß zusammen. In der Burg war von 1710 bis 1863 die weltberühmte und älteste Porzellanmanufaktur Europas untergebracht; gegründet wurde sie von König August II. im Jahr 1710.

Eigentlich hätte man die mit feuchten Flußauen und Marschen vertrauten flämischen Kolonisten, die von Markgraf Albrecht dem Bären (um 1100–1170) im 12. Jh. ins Land gerufen wurden, im Spreewald ansiedeln sollen. Statt dessen wies ihnen der Gründer des brandenburgischen Staates Land in einer ausgesprochen wasserarmen Gegend Deutschlands zu, von der es heute noch heißt: „Fläming, arm an Born, reich an Korn." Der Moränenwall nördlich der Elbe, mit 200 m über dem Meeresspiegel übrigens der höchste in Norddeutschland, hat seinen Namen von den flämischen Siedlern von einst.

In den südlichen Ausläufern des bewaldeten Höhenrückens liegt eine Stadt, die als Geburtsstätte der Reformation den Ehrentitel „Lutherstadt" trägt. Der Reformator Martin Luther (1483–1546) kam 1508 nach Wittenberg, um an der kleinen Universität der Residenzstadt Schriftauslegung zu lehren – eine schwierige Aufgabe in einer Zeit, in der innerhalb der Kirche überall Mißstände zutage traten und der Unmut der

Bürger über die Geistlichkeit wuchs. Die Thesen, die der tapfere Streiter am 31. Oktober 1517 angeblich an die Tür der Schloßkirche schlug, auf alle Fälle aber im Druck veröffentlichte, richteten sich zunächst nur gegen den Ablaßhandel, brachten schließlich jedoch das gesamte Gebäude der katholischen Kirche ins Wanken. Im Lauf der Reformation erlebte das Städtchen einen ungeahnten Aufschwung, ja es wurde für einige Jahrzehnte zum geistigen Mittelpunkt Deutschlands.

Die Elbe entlang

In der Bezeichnung für Land und Bevölkerung Sachsens lebt seit langem nur noch der Name eines Stammes fort, der während der Zeit der Völkerwanderung an allen europäischen Küsten gefürchtet war, im 4. und 5. Jh. ganz Norddeutschland beherrschte und schließlich sogar die Britischen Inseln eroberte. Sachsens heutige Bevölkerung entstammt vor allem Einwanderern vom Niederrhein, aus Thüringen und Mainfranken, die sich seit dem Mittelalter mit slawischen Einwohnern vermischten. Das Zentrum dieses Schmelztiegels lag etwa dort, wo die Elbe die Mittelgebirge verläßt und in das Tiefland eintritt. Dort entwickelte sich im späten Mittelalter die neudeutsche Umgangs- und Schriftsprache.

Bei Meißen durchschneidet die Elbe ein Hügelland aus Granit, dessen höhere Erhebungen den Strom um 80 m überragen. Auf einem der Hügel am linken Elbufer ließ Heinrich I., Herzog von Sachsen und später deutscher König, im Jahr 929 die Zwingburg Misni errichten. Für mehr als 500 Jahre wurde der Burgberg von Meißen das Zentrum weltlicher und, nachdem ein Bischof im 10. Jh. seinen Sitz neben der Burg genommen hatte, auch geistlicher Macht in Sachsen. Nur wenige Orte in Deutschland waren für längere Zeit so sehr Brennpunkte der Macht wie dieser Burgberg über der Elbe. Die Bauten, die sich auf ihm eng aneinanderdrängen, stammen in den jetzigen

Formen aus dem 13.–15. Jh.: der gotische Dom mit den Stifterfiguren und Grabdenkmälern der Fürsten sowie einem Flügelaltar, den Lucas Cranach der Ältere 1534 schuf; das spätgotische Bischofsschloß, die Domherrenhöfe und nicht zuletzt die Albrechtsburg, die in der Geschichte der deutschen Baukunst die Wende von der mittelalterlichen Burg zum neuzeitlichen Schloß dokumentiert. Das Bild der Altstadt Meißens, die sich an den Burgberg schmiegt, wird gleichfalls von zahlreichen historischen Bauten geprägt, von Bürgerhäusern, Toren und Türmen, dem spätgotischen Rathaus und der berühmten Fürstenschule des Moritz von Sachsen, in der der Kritiker, Dichter und Philosoph Gotthold Ephraim Lessing (1729–1781) die Schulbank drückte. Leider sind in jüngster Zeit ein paar häßliche Neubauten zwischen der alten Pracht errichtet worden.

Dresden
Das „Elbflorenz" heute

Im Jahr 1485, als die Albrechtsburg gerade fertiggestellt worden war, verlegten die sächsischen Herzöge ihre Residenz nach Dresden. Nach der Reformation löste man die Klöster auf, der Bischof legte sein Amt nieder, und Meißen wurde zu einer zwar mit Kunstschätzen reich gesegneten, sonst aber bedeutungslosen Landstadt. Dennoch ist der Name Meißens weltbekannt, weil der Apotheker und Alchemist Johann Friedrich Böttger, vom sächsischen Kurfürsten Friedrich August I. auf der Albrechtsburg gefangengesetzt, damit er Gold mache, als erster Europäer Porzellan herstellen konnte – zunächst rotes, ab 1709 auch das begehrte weiße. Schon ein Jahr später wurde in Meißen eine Porzellanmanufaktur gegründet, die zunächst fernöstliche Vorbilder nachahmte, schließlich jedoch zu einem ganz eigenen Porzellanstil fand und damit weltberühmt wurde.

Gründer der „Curfürstlich Sächsischen Porcelaine-Fabrique" in Meißen war ein Mann, dem die Rolle des absolutistischen Herrschers geradezu auf den Leib geschrieben war: Friedrich August I., Kurfürst von Sachsen (1670–1733), der nach seiner Wahl zum König von Polen (1697) wegen seiner militärischen und amourösen Ruhmestaten vom Volk bald „August der Starke" genannt werden sollte. Er schmückte seine Residenzen in Warschau und Dresden nach dem

▶ *Hinter dem französischen Pavillon des Zwingers liegt das Nymphenbad, ein Wasserbecken mit Springbrunnen nach dem Vorbild römischer Brunnenanlagen.*

Vorbild von Versailles mit hervorragenden Bauten und hielt im Stil des Sonnenkönigs Louis XIV. hof. Das „Augusteische Zeitalter" Dresdens, das im Jahr 1206 als Umschlagplatz an einem wichtigen Elbübergang erstmals erwähnt wurde, dauerte bis 1760, als preußische Truppen die sächsische Residenz, seinerzeit die „prächtigste und galanteste der Welt", beschossen. Die schlimmste Katastrophe ihrer Geschichte stand der Kulturmetropole Sachsens freilich noch bevor:

Am 13. Februar 1945 wurde Dresden von einem der schwersten Luftangriffe des Zweiten Weltkriegs getroffen. Zehntausende von Menschen fanden in der von Flüchtlingen überfüllten Stadt den Tod, und im Stadtkern überstanden nur wenige Straßenzüge mehr oder weniger unversehrt das Inferno. Die Paläste und Kirchen der Barockstadt erlitten im Bombenhagel schwere Schäden oder wurden vollständig zerstört, und von dem, was übriggeblieben war, opferte das Regime der

▲ *Die katholische Hofkirche bildet den architektonischen Höhepunkt der altstädtischen Elbfront von Dresden. Sie entstand zwischen 1739 und 1755 nach den Plänen des Italieners Gaetano Chiaveri; im Zweiten Weltkrieg zerstört, wurde sie in der Folgezeit originalgetreu wiedererrichtet.*

DDR in der Nachkriegszeit weitere wertvolle Bausubstanz den Prinzipien einer „sozialistischen Großstadt" oder ließ sie einfach verfallen.

Erst seit den 60er Jahren werden die historischen Baudenkmäler in größerem Umfang wiedererrichtet, viele Ruinen wie dcr Torso der barocken Frauenkirche, einst einer der bedeutendsten protestantischen Kirchenbauten, warten noch auf ihre Restaurierung. Der Zwinger, ein Höhepunkt barocker Baukunst in Europa, wurde in 20jähriger Arbeit erneuert und bildet heute wieder das Zentrum der Dresdener Altstadt. Mit den Zwin-

▶ *Dresden: Der Wallpavillon, kostbarstes Juwel des barocken Zwingers (1711–1728), ist mit den anderen Pavillons durch eingeschossige Galerien, die Orangerien, verbunden. Auf ihren flachen Dächern nahmen bei Hoffesten die illustren Gäste Platz.*

gern der mittelalterlichen Burgen, in denen man oft Bären und andere wilde Tiere hielt, hat das kostbarste Bauwerk der Elbstadt allerdings nur den Namen gemeinsam. Der von Pavillons und Bogengalerien umgebene Hof war als Schauplatz rauschender Feste vorgesehen, vor allem für die Hochzeitsfeier-

lichkeiten des Kurprinzen im Jahr 1719. Die großen höfischen Festaufzüge, für die man eine solch monumentale Arena brauchte, kamen allerdings schon bald aus der Mode, und so dienten die Pavillons nach der Fertigstellung im Jahr 1728 hauptsächlich als Museen, als würdiger Rahmen für die Gemälde-

galerie Alte Meister, über die Goethe einst schrieb: „Ich trat in dieses Heiligtum, und meine Verwunderung überstieg jeden Begriff, den ich mir gemacht hatte ..."

Sandstein und Sorben
Von der Elbe zur Neiße

Die Sandsteinblöcke, aus denen der Dresdener Zwinger errichtet ist, wurden flußaufwärts im Elbsandsteingebirge gebrochen, einem Gebirge, das im 18. Jh. den vielversprechenden Namen „Sächsische Schweiz" erhielt, übrigens von zwei Eidgenossen, die an der Kunstakademie Dresden studierten und sich beim Anblick des wildzerklüfteten Gebirges an ihre Heimat erinnert fühlten. Damals kannte man in Europa die tiefen Cañons im trockenen Südwesten der USA noch nicht, sonst hätte das von der Elbe und ihren Zuflüssen tief zerkerbte Mittelgebirge wahrscheinlich einen anderen Namen erhalten. Die Sandsteintafelberge dieser in Mitteleuropa einzigartigen Landschaft, die engen Schluchten, schroffen Felswände und Felsnadeln, an denen das Gestein zu sonderbaren Wabenmustern verwittert, sind ein Paradies für Kletterer und Bergsteiger, die im ebenen Norddeutschland von verwegenen Klettertouren sonst nur träumen dürfen. Aber auch Ausflügler ohne alpinistischen Ehrgeiz müssen beim Aufstieg in den rund 600 freistehenden Felsen der Sächsischen Schweiz hin und wieder die Hände zu Hilfe nehmen, etwa wenn sie über die schmalen Stufen der „Himmelsleiter" zu einer alten Raubritterburg hinaufsteigen oder auf Eisenleitern den Lilienstein erklimmen.

Wie die Bayern waren die Sachsen auf die Preußen nicht immer gut zu sprechen, denn zu Beginn des 19. Jh. mußte das Königreich Sachsen große Gebiete an Preußen abtreten. Der ungeliebte Nachbar im Norden verleibte sich über die Hälfte der Lausitz, des sächsischen Territoriums zwischen dem Fläming und der Neiße, ein. Der Name dieser Landschaft wurde von den Sorben geprägt, die seit über einem Jahrtausend beiderseits der Spree ansässig sind. Sie nannten das von Urstromtälern durchzogene Land in ihrer Heimatsprache *Luzica* (Sumpfland). Die deutschen Einwanderer, die sich im Mittelalter östlich der Elbe niederließen, machten daraus „Lausitz".

Trotz der jahrhundertelangen deutschen Vorherrschaft hat das slawische Volk der Sorben viele seiner sprachlichen und kulturellen Eigenarten bewahrt. Neben den Dänen in Schleswig-Holstein sind die Sorben oder Wenden, wie sie von den Deutschen früher genannt wurden, mit etwa 100 000 Angehörigen die einzige ethnische Minderheit in Deutschland. In 176 Orten der Lausitz wird heute neben Deutsch noch Sorbisch gesprochen. Seit je vor allem in der Landwirtschaft tätig, bauen die Sorben im Spreewald Gurken, Meerrettich, Zwiebeln und andere Gemüsesorten an, deren Qualität weithin bekannt und geschätzt ist. Im Alltagsleben haben sich die Unterschiede zwischen ihnen und der deutschen Bevölkerung ziemlich verwischt, nicht zuletzt, weil zur Zeit des Dritten Reichs die Eigenarten der Sorben gezielt unterdrückt wurden. Nach 1945 blühte die sorbische Literatur wieder auf, Sorbisch wurde als Schul- und Amtssprache anerkannt. Die sorbische Tracht wird allerdings fast nur noch zu festlichen Anlässen getragen, etwa beim Kinderfest der Vogelhochzeit, das man im Januar im Lausitzer Bergland feiert, oder bei den Spreewaldfestspielen, die alljährlich Anfang September veranstaltet werden.

Seit der Mitte des 19. Jh. entwickelte sich die Stadt Bautzen zum kulturellen Zentrum der Sorben. In der Stadt an der Spree gibt es zahlreiche Einrichtungen zur Pflege der sorbischen Kultur, unter anderem in der Ortenburg, die seit dem Jahr 1000 auf einem Plateau über der Spree thront. Dort ist das Museum für Sorbische Geschichte und Kultur untergebracht. Die Ortenburg, alte Grenzfeste der Markgrafen von Meißen, mußte manchem Angriff standhalten. Um für Belagerungen besser gerüstet zu sein, hatten die Burgherren die Alte Wasserkunst, ein befestigtes Schöpfwerk zur Versorgung der Stadt mit Trinkwasser, auf einem Felsen über der Spree erbauen lassen. Die ausgeklügelte Anlage ist heute technisches Museum. Im gotischen Dom St. Peter praktizieren die beiden großen christlichen Konfessionen seit dem Jahr 1534 unter einem Dach friedliche Koexistenz: der Chor ist katholisch, das Langhaus protestantisch. Von den beiden Mauerringen, die das mittelalterliche Bautzen einst umschlossen, ist der innere größtenteils erhalten. Unter einem seiner Tortürme ist der Erdboden eingesunken, der Turm neigte sich und bildet seither als „schiefer Turm" eine besondere Attraktion.

Cottbus in der Niederlausitz ist eine zweite Hochburg sorbischer Kultur. Sie hat eine sorbische Oberschule, wöchentlich erscheint eine Zeitung in sorbischer Sprache. Französische Familiennamen erinnern an hugenottische und wallonische Zuwanderer aus dem 17. und 18. Jh., die damals die Cottbuser Tuchmacherei auf den neuesten technischen Stand brachten. Seit der Erschließung der Braunkohlenlager in der Umgebung steht die Wirtschaft der Stadt auf zwei, allerdings sehr unsicheren, Füßen. Die Textilindustrie kann sich gegen die Konkurrenz auf dem Weltmarkt kaum behaupten, und die Förderung und Verarbeitung der meist

▲ *Sorbische Trachten werden nur noch an Festtagen getragen, und traditionsreiches Handwerk der Sorben wie das Korbflechten oder kunstvolle Schmiedearbeiten geraten immer mehr in Vergessenheit. Die meisten Institutionen zur Pflege der sorbischen Sprache und Kultur haben ihren Sitz in Bautzen.*

schwefelreichen Braunkohle bescheren der Region neben einer über viele Quadratkilometer zerstörten Landschaft eine unerträgliche Luftverschmutzung.

Östliches Grenzland
Zwischen Görlitz und Torgau

In der Altstadt von Görlitz, dem kulturellen Zentrum der Oberlausitz, spiegeln sich die regen Handelsbeziehungen wider, welche die Stadt an der Neiße früher mit den Ländern Süd- und Südosteuropas unterhielt. Im Stadtbild sind kulturelle Einflüsse aus diesen Ländern unübersehbar, z. B. beim Alten Rathaus mit seiner eleganten Renaissancefreitreppe und dem 60 m hohen Turm oder im Schönhof, das als ältestes Bürgerhaus der Renaissance in Deutschland gilt. Als die beiden Prachtbauten im 15. und 16. Jh. errichtet wurden, war Görlitz die größte Stadt zwischen Erfurt und Breslau. In den letzten Jahrhunderten geriet der traditionsreiche Handelsplatz durch die Grenzziehung ins

▶ *Die Ortenburg, Wahrzeichen der Stadt Bautzen und um das Jahr 1000 als Grenzfeste der Markgrafen von Meißen auf einem felsigen Bergsporn über der Spree gegründet, wurde mehrere Male zerstört und wieder aufgebaut.*

▶▶ *Kurfürst Moritz von Sachsen ließ das Jagdschloß Moritzburg im 16. Jh. in den Wäldern nordwestlich von Dresden erbauen. Mit Ausnahme der wuchtigen Renaissancerundtürme ist fast nichts mehr erhalten geblieben. Das heutige Gemäuer ist ein Werk Matthäus Pöppelmanns, von 1718 bis 1736 Oberlandbaumeister in Dresden, der das Jagdschloß für König August II. in den Formen des Barock umbaute und erweiterte.*

▲ *Das Schillerhaus in Weimar war Wohnsitz des Dichters von 1802 bis zu seinem Tod im Mai 1805. Im Arbeitszimmer unter dem Mansardendach vollendete er sein letztes Drama:* Wilhelm Tell.

wirtschaftliche Abseits. Nach der Öffnung der Grenzen hofft man jetzt wieder auf einen neuen Aufschwung wenigstens für den westlichen Teil der Stadt, denn der am östlichen Ufer gelegene Teil wurde nach dem Zweiten Weltkrieg polnisch und heißt Zgorzelec.

Nach *dem* deutschen Strom befragt, würden neun von zehn Deutschen ohne Zögern den Rhein nennen, so tief ist die Vorstellung vom „Vater Rhein" als Lebensader der Nation verwurzelt. Die behäbig-biedere Elbe mag für diese Rolle allerdings weit besser geeignet erscheinen als der ungestüme Strom am Westrand der Republik, der im Lauf der Geschichte fast immer eine natürliche Grenze war.

Die Länder am Rhein waren bereits historischer Boden, als noch niemand an Deutschland dachte. Das Tiefland beiderseits der Elbe wird dagegen erst im 10. Jh. häufiger in den Chroniken genannt, als der Schwerpunkt des Reiches sich nach dem Ende der Karolingerzeit nach Osten verlagerte. Als Wasserstraße war und ist die Elbe durch ihre unregelmäßige Wasserführung gegenüber dem Rhein benachteiligt, obwohl die Natur dem Strom einen bequemen Weg vom Mittelgebirge zum Meer gebahnt hat. Entlang der Elbe greift das Tiefland wie eine Bucht zwischen Harz und Erzgebirge tief in das Mittelgebirge ein. Die Städte am Strom wie der Elbhafen Riesa oder Torgau, wo sich am 25. April 1945 sowjetische und amerikanische Soldaten nach dem Sieg über das nationalsozialistische Deutschland die Hände reichten, profitierten von der günstigen Lage allerdings nur wenig.

Handel, Musik, Revolution
Die alte Stadt Leipzig

Leipzig, die zweitgrößte Stadt der neuen deutschen Bundesländer, liegt weit abseits der Elbe am Zusammenfluß von Elster und Pleiße im Kern der Sächsischen Tieflands-

bucht. Der „Ort bei den Linden", wie man den sorbischen Namen „Lipzi" übersetzen könnte, ist heute Hauptstadt des wiedererstandenen Freistaats Sachsen und in erster Linie als Wirtschaftsmetropole bedeutend. Die Lage am Schnittpunkt wichtiger Reichsstraßen, der Via Regia Lusatiae vom Rhein-Main-Gebiet nach Schlesien und Polen und der Via Imperia von den Hafenstädten der Ostseeküste nach Nürnberg und Augsburg, begünstigte schon im Mittelalter die Entstehung eines bedeutenden Handelsplatzes. Mit kaiserlichen Privilegien geradezu überschüttet, wuchs Leipzig mit seinen Jahrmärkten und Messen im 16. Jh. schließlich zum wichtigsten Handelsplatz im östlichen Mitteleuropa. Aus dieser Zeit stammen die zahlreichen Handelshäuser mit ihren Durchgangshöfen zur Abwicklung der Geschäfte und zum Stapeln der Waren. Sie wurden teilweise in Passagen umgewandelt, die der heutigen Leipziger Altstadt ihre ganz persönliche Note geben.

Unter der Mädlerpassage findet man „Auerbachs Keller", dem Johann Wolfgang Goethe im *Faust* ein literarisches Denkmal gesetzt hat. Goethe kannte das berühmte, bis heute kaum veränderte Weinlokal aus seiner Studienzeit, von der er einige Jahre an der nach Heidelberg zweitältesten, 1409 gegründeten Universität Deutschlands verbrachte. Ein großer Teil seiner Werke wurde in Leipzig gedruckt, das sich schon seit 1500 als Stadt der Buchdrucker und des Buchhandels einen Namen gemacht hatte. Seinen Ruf als Musikstadt hat sich Leipzig spätestens seit dem Wirken Johann Sebastian Bachs erworben und bis heute erhalten, vor allem durch den Thomanerchor und das Gewandhausorchester. Von 1723 bis zu seinem Tod war Bach Kantor an der Thomaskirche, später setzten Felix Mendelssohn Bartholdy, Robert Schumann und Richard Wagner die musikalische Tradition der sächsischen Hauptstadt fort.

Leipzig blickt noch auf eine weitere Tradition zurück, die mit der Vorstellung von einer wohlhabenden deutschen Handelsstadt

nicht so recht in Einklang steht: die Tradition des Widerstands gegen die Staatsgewalt. Im vorigen Jahrhundert formierten sich hier die ersten deutschen revolutionären Arbeiterparteien; 1845 erschien in Leipzig das Buch *Die Lage der arbeitenden Klassen in England* von Friedrich Engels, das grundlegende Werk des wissenschaftlichen Sozialismus. Während des Dritten Reichs war Leipzig ein Zentrum des Widerstands gegen die Nationalsozialisten. Diese Stadt Leipzig war es schließlich, deren Bevölkerung 1989 das SED-Regime Erich Honeckers ins Wanken

▲ *Blick von der Bastei, einer Felsgruppe im Elbsandsteingebirge, auf das Elbetal; seit 1956 steht das Gebiet unter Landschaftsschutz.*

brachte. Es begann mit wöchentlichen Friedensandachten in der Leipziger Nikolaikirche, bis am 23. Oktober 1989 auf dem Karl-Marx-Platz annähernd 300 000 Menschen mit dem Ruf „Wir sind das Volk – keine Gewalt" für demokratische Erneuerung eintraten. Als die Funktionäre endlich mit der Öffnung der Grenzen und Reformen auf die immer lauter werdenden Forderungen reagierten, war ihre Zeit längst abgelaufen. Bei den ersten freien Wahlen in der DDR am 18. März 1990 errang die „Allianz für Deutschland" einen sensationellen Sieg, und ein halbes Jahr später waren die beiden deutschen Staaten wiedervereinigt.

Das Erzgebirge
Heimarbeit und Waldsterben

Von der Leipziger Tieflandsbucht mit ihren Heiden und Lößebenen steigt das Gelände im Süden allmählich zum Erzgebirge hin an. Wie viele deutsche Mittelgebirge ist das Massiv, das nahe der sächsisch-böhmischen Grenze respektable 1214 m über Meereshöhe erreicht, ein sanft gewelltes Bergland, in dem sich bewaldete Höhenzüge wie versteinerte Wogen aneinanderreihen. Während das fruchtbare Tiefland schon in der jüngeren Steinzeit besiedelt wurde, wagten sich die Menschen erst seit dem Mittelalter auf der Suche nach Erzen in das im Winter tief verschneite Gebirge. Das Erzgebirge machte seinem Namen damals noch alle Ehre. Vor-

▲ *Der viertürmige Dom St. Peter und Paul in Naumburg an der Saale: Den unbekannten Bildhauer des Lettnerreliefs mit der Kreuzigungsgruppe und den Stifterfiguren im Westchor (um 1250), Hauptwerken der deutschen Frühgotik, nennt man schlicht den „Naumburger Meister".*

misch gefühlt, denn Landschaftsbild und geologischer Aufbau des Erzgebirges ähneln denen des Harzes. Die meisten der vielen kleinen Städte des Gebirges entstanden als Bergbauorte, etwa Annaberg, im 16. Jh. eine der reichsten Städte Deutschlands, Freiberg mit seiner renommierten Bergakademie oder St. Joachimsthal. Dort wurden zwischen 1518 und 1528 Silbermünzen in so großer Zahl geprägt, daß die „Joachimstaler" für die Benennung des „Dollar" entscheidend waren. Heute erinnern in den alten Bergbaurevieren nur noch aufgelassene Gruben, Halden und Museen an eine Glanzzeit, die zu Ende ging, als sich im 18. und 19. Jh. die Erzvorkommen langsam erschöpften.

Die Bergleute mußten sich nach neuen Erwerbsquellen umsehen, machten aus der Not eine Tugend und verdienten ihr Brot wie in Klingenthal mit der Fabrikation von Musikinstrumenten, oder sie verlegten sich auf die Herstellung von Spielwaren. In keiner Gegend Deutschlands gibt es auf engem Raum so viele unterschiedliche Wirtschaftszweige wie im Erzgebirge und im angrenzenden Vogtland. In den kleinen Gebirgsdörfern und -städten, die früher im Winter oft wochenlang von der Außenwelt abgeschnitten waren, spielt die Heimarbeit auch heute noch eine wichtige Rolle. Die Klöppelei und Stickerei brachten den Frauen der Bergleute einen willkommenen Nebenverdienst, die Männer fertigten in ihrer Freizeit aus Fichtenholz so begehrte erzgebirgische Schnitzarbeiten wie Nußknacker, Weihnachtspyramiden und Räuchermännchen. Das große Geld verdienten jedoch die „Schleierherren" in Plauen, die sich im 16./17. Jh. auf die Herstellung feiner Baumwollgewebe spezialisierten und die zarten Schleier bis in die Mittelmeerländer exportierten. Plauener Spitzen haben heute noch einen guten Ruf in der Welt.

Im Winter verwandelt sich das Erzgebirge in eine Wunderwelt aus Schnee und Eis; am Wochenende strömen die Ausflügler aus den nebligen, versmogten Niederungen in die Wintersportgebiete, um beim Skilaufen und Wandern in den tiefverschneiten Wäldern endlich wieder reine Gebirgsluft zu atmen. Der Traum von der reinen, gesunden Natur verflüchtigt sich jedoch spätestens im Frühjahr, wenn unter der weißen Schneedecke dürre Baumskelette und das fahlgelbe Nadelkleid kranker Fichten zum Vorschein kommen. In allen höheren Mittelgebirgen Deutschlands sind die Wälder krank, zum Teil sogar völlig vernichtet. Im Erzgebirge hat sich das Waldsterben in den vergangenen

▶ *Malerische Fachwerkhäuser im Altstadtkern von Wernigerode erinnern an die Zeit, als im Schloß die Grafen von Stolberg residierten und die Bürger durch den einträglichen Fernhandel mit Bier und Branntwein reich wurden.*

kommen von Silber, Zinn, Kupfer, Eisen und Nickel, in neuerer Zeit auch Kobalt, Wismut und Uran, begünstigten die Entwicklung des Bergbaus, den zunächst Bergleute aus dem Harz eingeführt hatten. Sie haben sich im Erzgebirge gewiß bald hei-

Jahren so dramatisch beschleunigt, daß es in Höhen über 800 m für die Wälder kaum noch eine Überlebenschance gibt. Über die Gründe des Waldsterbens wurde und wird seit den ersten Berichten über großflächige Schäden gerätselt; mittlerweile sind sich die meisten Wissenschaftler darin einig, daß in einem ganzen Bündel von Ursachen die Luftverschmutzung durch Abgase die Hauptschuld trägt. Das Erzgebirge liegt in einer Region Mitteleuropas, die durch Luftschadstoffe besonders stark belastet ist. Kraftwerke in Sachsen und Böhmen, die meist mit schwefelreicher Braunkohle betrieben werden, verpesten die Luft, und der Niederschlag fällt als saurer Regen oder saurer Schnee auf die Wälder. Empfindliche Bäume wie die Tanne sind im Erzgebirge und in Sachsen bereits abgestorben – „O Tannenbaum ..., wie grün sind deine Blätter"!

Das „grüne Herz Deutschlands"
Auf den Spuren großer Deutscher

Ohne deutliche natürliche Grenzen geht das Erzgebirge nach Westen hin in das Thüringer Schiefergebirge und den Thüringer Wald über, zwei fichtengrüne Mittelgebirge, denen das Land zwischen Werra und Saale den Beinamen „grünes Herz Deutschlands" verdankt. *Noch* verdankt, sollte man vielleicht sagen, denn auch hier stirbt der Wald, ist schon mehr als die Hälfte des Baumbestandes krank.

Über die Kämme der Gebirge verläuft der Rennsteig, einer der schönsten und traditionsreichsten Wanderwege Deutschlands, der von der Saale über 168 km bis zur Werra führt. Auf der letzten Etappe kommt der Wanderer an der Wartburg vorbei, einer der vielen Burgen, die im Mittelalter die Handelsstraßen zwischen Hessen und Thüringen beherrschten. Doch die Ende des 11. Jh. erstmals in einer Urkunde erwähnte Wartburg ist alles andere als eine ganz gewöhnliche Burg, denn sie spielte in der Geschichte der Deutschen eine besondere Rolle. Im 12./13. Jh. war sie glanzvolle Residenz thüringischer Landgrafen; in dieser Zeit soll dort der Sage nach ein Sängerkrieg ausgetragen worden sein, in dem Wolfram von Eschenbach, Walther von der Vogelweide und andere Minnesänger sich maßen. Drei Jahrhunderte später, von 1521 bis 1522, fand der in Worms mit Acht und Bann belegte Martin Luther als „Junker Jörg" in der Burg seine Zuflucht. Er übersetzte hier das Neue Testament ins Deutsche. In seinem Studierzimmer war früher ein großer Tintenfleck an der Wand zu sehen; der Reformator hatte angeblich ein Tintenfaß gegen die Wand ge-

▲ *Die Geschichte des Lüneburger Rathauses reicht bis ins 13. Jh. zurück. Zu Beginn des 18. Jh. wurde die Marktfassade zu einer barocken Schaufront umgestaltet.*

worfen, um den Teufel zu vertreiben. Andenkensammler schabten den wohl berühmtesten Tintenfleck der Welt von der Wand – freilich ohne zu ahnen, daß er immer wieder mit Tinte erneuert wurde. Durch das Tor der Wartburg zogen am 18. Oktober 1817 die deutschen Burschenschafter, um auf dem „Wartburgfest" zu geloben, für die Einheit Deutschlands einzustehen.

Daß irren menschlich ist, bewies die deutsche Bach-Gesellschaft, als sie Anfang unseres Jahrhunderts in der Stadt Eisenach am Fuß der Wartburg ein Haus kaufte, in dem angeblich am 21. März 1685 Johann Sebastian Bach geboren worden war. Nachdem man das Haus mit großen Kosten in eine Gedenkstätte umgewandelt hatte, stellte sich heraus, daß das tatsächliche Geburtshaus des großen Musikers und Komponisten längst abgerissen worden war.

Von Eisenach zieht sich am Nordrand des Thüringer Walds eine Reihe von Städten nach Osten, die der mittelalterlichen Königsstraße folgt. In Arnstadt trifft man wieder auf die Spuren Johann Sebastian Bachs, der in der ältesten urkundlich erwähnten Stadt Thüringens (704) einige Jahre als Organist tätig war. Viele Angehörige der weitverzweigten thüringischen Musikerfamilie Bach liegen auf dem Alten Friedhof in Arnstadt begraben.

Martin Luther studierte von 1501 bis 1505 im benachbarten Erfurt, der heutigen Landeshauptstadt von Thüringen mit ihrer noch weitgehend erhaltenen Altstadt, die in die UNESCO-Liste des Natur- und Kulturerbes der Welt aufgenommen wurde. Zahlreiche Türme und das einzigartige gotische Bauensemble des Erfurter Doms und der St.-Severi-Kirche auf dem Domhügel prägen die Silhouette von Alt-Erfurt. Ein anderes architektonisches Juwel könnte dagegen in den engen Gassen der Altstadt leicht übersehen werden: die Krämerbrücke, eine beiderseits mit Fachwerkhäusern bebaute Brückenstraße, für die es nördlich der Alpen sonst kein Beispiel gibt.

Umgeben von Feldern liegt die Stadt am Rand des Thüringer Beckens, der weiten Senke zwischen Harz und Thüringer Wald, für die das Bild vom „grünen Herz Deutschlands" schon seit Jahrhunderten nicht mehr zutrifft. Die mit fruchtbarem Lößlehm bedeckte, bis auf kleinere Waldinseln entwaldete Senke ist eine der uralten Agrarlandschaften, welche die deutschen Mittelgebirge hier und dort unterbrechen. Ihre Städte können meist auf eine lange, bewegte Geschichte zurückblicken. Mühlhausen am nordwestlichen Rand des Thüringer Beckens wurde z. B. bereits im Jahr 775 urkundlich erwähnt. Im 16. Jh. war die wohlhabende Reichs- und Hansestadt einer der Brennpunkte der Bauernkriege, jener größten politischen und sozialen Massenbewegung der deutschen Geschichte, in der von 1524 bis 1526 die Bauern und Bürger in Süd- und Mitteldeutschland gegen Fronen, Abgaben und die Ausdehnung der landesherrschaftlichen Gerichtsbarkeit kämpften. Der Reformer und Bauernführer Thomas Müntzer wurde nach der blutigen Niederlage der mitteldeutschen Bauern 1525 bei Mühlhausen hingerichtet.

Im Thüringer Becken trifft man nicht nur auf die Spuren früher Revolutionäre, auch Dichter haben sich hier verewigt, etwa Theodor Storm, der einige Jahre lang fern seiner nordfriesischen Heimat in Heiligenstadt Richter war, oder Heinrich Heine, der sich in dem Fachwerkstädtchen taufen ließ, um, wie er sich ausdrückte, als Jude mit dem Taufschein das „Entreebillett zur europäischen Kultur" zu erhalten.

Kaiser Rotbart und Goethe
Vom Kyffhäuser nach Weimar

Das Becken wird von einzelnen Höhenzügen mit zum Teil recht sonderbaren Namen umrahmt; da gibt es die Finne, die Schrecke, die Schmücke und am Nordrand den Kyff-

▲ *Sonderbar geformte Wacholderbüsche und vereinzelte Birken bestimmen das Landschaftsbild der Lüneburger Heide. Nur im Spätsommer, wenn das Heidekraut zu blühen beginnt, sind die trockenen und wenig fruchtbaren Hochebenen in ein rötliches Blütenmeer getaucht.*

häuser, der von fruchtbaren Niederungen, der Goldenen Aue und der Diamantenen Aue, flankiert wird. Gold und Diamanten wurden zwar im Kyffhäuser bisher nicht gefunden, Fachleute halten es aber durchaus für möglich, daß man eines Tages in dem kleinen Gebirge solche Schätze entdecken kann. Es besteht aus allen möglichen Gesteinsarten, darunter auch Gipsschichten, in denen das Sickerwasser große Höhlen ausgespült hat. In der Barbarossahöhle ruht der Sage nach der deutsche Kaiser Friedrich I. (1152–1190), den man wegen seines langen, feuerroten Barts Kaiser Rotbart, italienisch Barbarossa, nannte. Um die Zeit, als Friedrich I. zum Kreuzzug ins Heilige Land aufbrach, begannen Mönche in den Tälern am Rand des Thüringer Beckens Weinberge anzulegen, von denen heute noch einige bestehen. Die Anbauflächen liegen im Saale-Unstrut-Gebiet bei Naumburg und Freyburg. Vor allem Müller-Thurgau, Silvaner und Weißer Burgunder werden an den Muschelkalkhängen angebaut, also hauptsächlich früh- bis mittelreife Sorten, denn die Reben

müssen sich im nördlichsten Weinbaugebiet der Welt schon ein wenig beeilen, um in kurzen Sommern zu reifen.

In einem Weinberg beim Winzerdorf Großjena sind die Kalksteinwände mit überlebensgroßen Reliefs geschmückt, die biblische Themen, aber auch die alltägliche Arbeit im Weinberg oder an der Kelter darstellen. Die Künstler, die dieses „Steinerne Bilderbuch" im 18. Jh. schufen, konnten gleich in der Nähe berühmte Beispiele vollendeter Bildhauerkunst studieren: die Stifterfiguren und die reichgeschmückten Lettner des Domes von Naumburg.

Als der Weinfreund und -kenner Johann Wolfgang von Goethe 1775 auf Einladung Herzog Carl Augusts Weimar besuchte, das Residenzstädtchen des Herzogtums Sachsen-Weimar-Eisenach, lagen schon viele der dortigen Weinberge brach. Goethe gefiel es in Weimar trotzdem so gut, daß er dort bis zu seinem Tod im Jahr 1832 blieb. Die anregende Atmosphäre des kleinen „Musenhofs" zog immer mehr Dichter, Wissenschaftler, Künstler und Musiker nach Weimar,

bis schließlich mit Johann Wolfgang von Goethe, Johann Gottfried Herder und Friedrich Schiller das Dreigestirn der deutschen Klassik in der Stadt an der Ilm versammelt war. Ein Spaziergang durch die Straßen, Parks und über die Friedhöfe Weimars ist noch immer ein faszinierender Streifzug durch die Geschichte der deutschen Literatur und Kunst. Überall trifft man auf die Spuren der Dichter und Denker: das Goethehaus, in dessen Arbeitszimmer der *Faust* entstand, im Park an der Ilm das Gartenhaus des Dichterfürsten, das Schillerhaus, das Grüne Schloß, das jetzt die Zentralbibliothek der deutschen Klassik beherbergt, das Hotel „Elephant" am Markt, das Thomas Mann und Richard Wagner zu seinen illustren Gästen zählte, das Deutsche Nationaltheater, wo Goethes *Egmont*, Schillers *Maria Stuart* und weitere große Dramen uraufgeführt wurden ... bis hin zur Goethe-Schiller-Gruft auf dem Alten Friedhof, in der die beiden Dichter im Tod vereint ruhen.

Dieses Mekka der deutschen Literatur machte sich auch in der Musik und in den

▲ *Das Rathaus der Freien Reichsstadt Goslar (15. Jh.) blieb in seinen gotischen Formen nahezu unverändert erhalten, denn der Vertrag, mit dem die Braunschweiger Herzöge der Stadt 1552 den Verzicht auf die Silberminen des Rammelsberges aufzwangen, machte die Goslarer zu armen Leuten.*

Bildenden Künsten einen Namen. Die Reihe großer Musiker, die in Weimar tätig waren, reicht von Johann Sebastian Bach über Franz Liszt bis Richard Strauß. Unter der Leitung des belgischen Architekten Henry van de Velde entwickelte sich aus der Weimarer Malerschule zu Beginn des 20. Jh. eine weltbekannte Kunstgewerbeschule und unter Walter Gropius das nicht weniger berühmte Bauhaus.

Bei allem Glanz, den Weimar ausstrahlt, erinnert es auch an eine dunkle Periode der deutschen Geschichte. Auf dem Ettersberg, wenige Kilometer außerhalb der Stadt, lag das berüchtigte Konzentrationslager Buchenwald, in dem über 50000 Menschen von den Nationalsozialisten umgebracht wurden. Das Gelände des ehemaligen Lagers ist heute Mahn- und Gedenkstätte.

Zwischen Harz und Heide
Landschaft mit vielen Gesichtern

Zu den zahllosen jungen Dichtern, die nach Weimar pilgerten, um den Geistesgrößen ihre Aufwartung zu machen, gehörte auch Heinrich Heine. Im Jahr 1824 besuchte er Goethe, im selben Jahr unternahm er seine Harzreise, der noch mehrere Reisen durch Norddeutschland folgen sollten. Heine war ein kritischer Beobachter, der in seinen „Reisebildern" mit bissigen Kommentaren nicht sparte. Die Hansestadt Lüneburg nannte er z.B. die „Residenz der Langeweile", und auf dem prächtigen Lüneburger Rathaus wollte er sogar einen „Kulturableiter" entdeckt haben. Offenbar haben ihm die herbe norddeutsche Landschaft und die nach verbreiteter Meinung kühle, zurückhaltende Art der Norddeutschen aber doch sehr gefallen, denn später schrieb er folgendes in sein Tagebuch: „Mit Schmerzen sehne ich mich nach Torfgeruch, nach den lieben Heidschnucken der Lüneburger Heid, nach Sauerkraut ..., nach Plattdeutsch, Schwarzbrot, Grobheit sogar und blonden Predigertöchtern."

Das Land zwischen der Ems und der Elbe, auf den ersten Blick vielleicht etwas langweilig und farblos, entpuppt sich bei genauerem Hinschauen als eine Region mit hundert Gesichtern. Von der Nordseeküste steigt das Land zunächst allmählich, dann aber steil zum Harz mit dem 1142 m hohen Brocken, dem höchsten Gipfel der deutschen Mittelgebirge nördlich des Mains, an. Über den sagenumwobenen Blocksberg notiert Heine in seinem Reisetagebuch: „Mit deutscher Gründlichkeit zeigt er uns klar und deutlich die vielen hundert Städte, Städtchen und Dörfer ... und ringsum alle Berge, Wälder, Flüsse, Flächen, unendlich weit."

Am Nordrand des Waldgebirges sind die Türme Goslars zu erkennen. Mit rund 1000 zum Teil wohlerhaltenen Fachwerkbauten, einem Dutzend großartiger Kirchen, seinem gotischen Rathaus und der im 11. Jh. errichteten Kaiserpfalz ist Goslar ein Bilderbuch von 1000 Jahren Geschichte. Es waren überwiegend gute Zeiten, denn die Silbergruben im benachbarten Rammelsberg waren lange Zeit schier unerschöpfliche Schatzkammern. Nach den heutigen Preisen würde die gesamte Erzmenge, die die Bergleute hier im Lauf eines Jahrtausends förderten, einem Wert von etwa 24 Mrd. DM entsprechen, wobei Rammelsberg nur eines von vielen Bergbaurevieren im Harz war. Allein im Oberharz wurden um die alten Bergbaustädte St. Andreasberg, Altenau, Wildemann und Clausthal-Zellerfeld mehr als 80 Erzgänge ausgebeutet; man fand sie auf den Hochflächen, im Inneren des Mittelgebirges oder am steilen Gebirgsrand, wo jüngere Schichten zutage treten.

Die unterirdischen Schatzkammern sind inzwischen leer, nur Freunde seltener Gesteine und Mineralien werden im Harz noch fündig, entdecken mit ein bißchen Glück ein Stückchen Forellenstein oder golden glän-

▲ *In der Zöllnerstraße im Altstadtkern von Celle reihen sich prächtige Fachwerkhäuser nahtlos aneinander. Die Heidestadt, im Zweiten Weltkrieg von Bombenangriffen verschont, besitzt ein schon fast unwirklich schönes historisches Stadtbild. Typisch norddeutsch ist die Auslucht, ein verzierter Fachwerk-Erker wie bei dem Haus am linken Bildrand.*

zenden Schillerfels. Ein Schatz der Natur ist jedoch immer noch im Überfluß vorhanden, nämlich sauberes Trinkwasser. Als „Wasserturm Norddeutschlands" versorgt der Harz Millionen von Menschen zwischen Bremen und Braunschweig mit dem kostbaren Naß. Mit Regen und Schnee füllt die Natur das unerschöpfliche Reservoir immer wieder auf; jährlich fallen in den Hochlagen des Ge-

birges etwa 1500–1600 l Niederschlag pro Quadratmeter, doppelt soviel wie im gesamtdeutschen Durchschnitt.

Auf die düsteren Hochmoore und Fichtenwälder im Umkreis des Brockens legt sich im Winter eine meterdicke Schneedecke, im Sommer peitscht der Regen die bizarren, wie von Riesenhand aufgetürmten Granitklippen, treibt der Sturm Wolkenfetzen durch

die Baumkronen – das passende Wetter für die Walpurgisnacht, in der nach altem Aberglauben die Hexen auf Besenstielen und Mistgabeln geflogen kommen, um auf dem Gipfel des Blocksbergs wüste Orgien zu feiern. Am Schauplatz ihres wilden Treibens wirft das Licht bei Sonnenuntergang zuweilen den Schatten eines Vorübergehenden auf die Nebelwände, der als „Brockengespenst" den ah-

▲ *Das Herz der westfälischen Bischofs- und Universitätsstadt Münster schlägt am Prinzipalmarkt. Oft sind die Häuser ganz oder teilweise rekonstruiert, wie z. B. das Filigran des Rathausgiebels (14. Jh.), denn viele von ihnen wurden im Krieg zerstört.*

nungslosen Bergwanderer erschreckt. Der Gipfel des Granitdoms ragt bereits über die Waldgrenze hinaus; sie verläuft im Harz fast 1000 m tiefer als am Nordrand der Alpen. In der Pflanzenwelt oberhalb dieser Linie tauchen zwischen den von Sturm, Eis und Schnee gezeichneten Baumveteranen schon typische Gewächse der skandinavischen Gebirgstundra auf, vor allem Moose, Flechten und Zwergsträucher.

Die „Rübensteppe"
In der norddeutschen Bördenlandschaft

Die Hügel am Fuß des Harzes vermitteln einen Eindruck von den baumlosen Ebenen Osteuropas: Getreide- und Zuckerrübenfel-

der, so weit das Auge reicht, höchstens hier und dort eine winzige Waldinsel. Das Klima paßt zu dem für Mitteleuropa ungewöhnlichen Landschaftsbild; das nördliche und östliche Harzvorland ist die trockenste Gegend Deutschlands. Im Regenschatten des Gebirges fallen an manchen Orten im Jahresdurchschnitt nur 400–450 mm Niederschlag, weniger als in Sizilien oder an der Côte d'Azur, aber die Feldfrüchte in der „Rübensteppe" zwischen Harz und Heide gedeihen trotzdem vorzüglich, denn der schwarze, humusreiche Lößboden saugt sich bei Regen wie ein Schwamm mit Wasser voll, genug, um die Pflanzen in den Trockenzeiten nicht verdursten zu lassen. „Börden" nennen die Norddeutschen diese fruchtbaren Landschaften, die sich in einem schmalen Streifen am Nordrand der deutschen Mittelgebirge entlangziehen.

Das Bild ihrer Städte spiegelt den natürlichen Reichtum und die Geschichte der norddeutschen Bördenlandschaften wider. Sie sind geschmückt mit großartigen Kirchen und Schlössern, wie z. B. Halberstadt mit seinem gotischen Dom oder Wolfenbüttel, die ehemalige Residenz der Welfenherzöge, mit seinem prachtvollen Renaissanceschloß und der berühmten Herzog-August-Bibliothek, welche der Dichter und Kritiker Gotthold Ephraim Lessing von 1770 bis zu seinem Tod im Jahr 1781 geleitet hatte. Andere Städte, wie das an alten, oft jedoch dringend sanierungsbedürftigen Häusern reiche Quedlinburg, in dessen Wordgasse wahrscheinlich das älteste deutsche Fachwerkhaus steht, locken Kunstliebhaber mit ihrer Fachwerkidylle an.

Magdeburg, 1631 im Dreißigjährigen Krieg vom Feldherrn Tilly niedergebrannt und 1945 von Bombenangriffen schwer getroffen, besitzt mit dem Dom St. Mauritius und St. Katharina den ersten gotischen Sakralbau nach französischem Vorbild auf deutschem Boden. Die ehemalige Kloster-

kirche Unser lieben Frauen gehört zu den am besten erhaltenen romanischen Anlagen.

Halle, das seinen Namen vom „Hall", einem Salzwerk, herleitet und sich in der Nachkriegszeit zum Zentrum der Chemieindustrie entwickelte, präsentiert sich am Altstadtmarkt von seiner schönsten Seite. Die spätgotische Marktkirche, die Residenz und die Domkirche umschließen den Platz, auf dem die Bürger Halles dem berühmtesten Sohn der Saalestadt, Georg Friedrich Händel (1685–1759), ein Denkmal errichteten.

Auf dem Burgplatz in Braunschweig blickt ein bronzener Löwe, Wappentier der Welfen, seit 1166 grimmig nach Osten und erinnert an die deutsche Ostkolonisation, die unter den sächsischen Herrschern begann. Um den Platz stehen die wieder aufgebaute Burg Dankwarderode, der Dom St. Blasius und einige stattliche Patrizierhäuser friedlich in schönster Harmonie vereint – Symbole gesellschaftlicher Interessengruppen, die im Deutschland des Mittelalters überhaupt nicht friedlich miteinander umgingen, sondern in ständige Machtkämpfe verstrickt waren. In Braunschweig behielten die Bürger lange Zeit die Oberhand, demonstrierten ihren Wohlstand mit Prachtbauten wie dem Gewandhaus oder dem Altstadthaus und konnten die Welfenherzöge für einige Jahrhunderte sogar ins benachbarte Wolfenbüttel verdrängen.

Der Nordwesten

DIE alte Bischofsstadt Hildesheim ist dagegen vor allem eine Stadt der Kirchen und der Geistlichkeit. Godehardikirche, St. Andreas und St. Michael, das Inbild einer romanischen „Gottesburg" – ein rundes Dutzend sehenswerter Kirchen ziert die Stadt, die bereits im Jahr 815 Bischofssitz wurde. In jene Zeit reicht die Baugeschichte des Doms St. Mariae zurück, der nach der Zerstörung im Zweiten Weltkrieg in der ursprünglichen Form wieder aufgebaut und 1960 neu geweiht wurde. Das romanische Gotteshaus birgt wertvolle Kunstwerke wie die Christussäule aus Bronze (1018) oder den gewaltigen Heziloleuchter. Die größte Kostbarkeit rankt sich jedoch an der Außenwand des Ostchors empor: der tausendjährige Rosenstock. Kaiser Ludwig der Fromme, so berichtet die Legende, entdeckte im 9. Jh. den Rosenstock im tiefen Wald und ließ in seiner Nähe eine Kapelle bauen. Der Rosenstock grünt angeblich seit dieser Zeit.

◄ *Duisburg-Ruhrort: Die weiträumige Hafenanlage ist mit einer Fläche von 12 km² der größte Binnenhafen der Welt. Jährlich werden bis zu 60 Mio. t Schiffsgüter umgeschlagen.*

▲ *Blick vom 234 m hohen Rheinturm auf Düsseldorf, die Hauptstadt des Bundeslandes Nordrhein-Westfalen. Im Vordergrund fällt der neue Landtag durch seine eigenwillige Architektur auf: Der Grundriß hat die Form ineinandergreifender Kreise.*

Hannover, die Hauptstadt Niedersachsens, wirkt im Kreis der alten niedersächsischen Städte beinahe jugendlich. Mit den Privilegien einer Stadt wurde die Marktsiedlung am Hohen Ufer der Leine erst im 13. Jh. ausgestattet. Die Blütezeit Hannovers begann, als Herzog Georg von Calenberg im 17. Jh. seine Residenz in das Städtchen verlegte, mit dem es dann freilich steil bergauf ging. In den Jahren 1714–1837 war das Kurfürstentum und Königreich Hannover mit England in Personalunion verbunden und die Leinestadt gewissermaßen eine Nebenresidenz des britischen Königreichs, nachdem, um die protestantische Thronfolge zu sichern, Kurfürst Georg Ludwig von Hannover 1714 als Georg I. den britischen Thron bestieg. Dieser Tatsache ist wohl zu verdanken, daß sich insgesamt 68 neugegründete Städte zwischen Kanada und Südafrika nach der Leinestadt benannten. Alljährlich im Frühjahr ist Hannover für ein paar Wochen Weltmetropole der modernen Industrie, wenn nämlich auf dem Messegelände die Hannovermesse (internationale Industriemesse) oder die CeBit (Messe für Informations- und Kommunikationstechnik) Aussteller und Interessenten aus allen Ländern der Erde anzieht.

Braunschweig und Hannover stehen gleichsam mit nur einem Bein auf dem fruchtbaren Lößboden der niedersächsischen Börden. Das andere berührt bereits einen Landschaftsraum Norddeutschlands, der von Dichtern besungen, von Malern gemalt und von den Bauern, die dem sandigen oder moorigen Boden karge Ernten abringen mußten, oft genug verflucht wurde: die Geest. Am Grenzsaum zwischen den Börden und der Geest, den auf der Landkarte etwa der Mittellandkanal markiert, eignet sich der Boden noch hervorragend für den Anbau von Spargel. Weiter nördlich, bis hin zu den ausgelaugten Sandböden der Lüneburger Heide, schrumpft die landwirtschaftliche Produktpalette auf Kartoffeln, Heidschnuckenbraten und Honig zusammen.

Moore, Erdöl, Salz
Zwischen Ems und Lüneburger Heide

Westlich von Weser und Aller dominiert die Moorgeest, ein tischebenes, von trägen Wasserläufen durchzogenes, einst weitflächig vermoortes Land. Lange galt es als nicht nutzbare Fläche, wurde in jüngerer Zeit aber doch von der Agrartechnik und der Torfindustrie bezwungen und in eintönige Agrarlandschaften verwandelt. In der dünnbesiedelten Geest zwischen dem Emsland im Westen und der Altmark und dem Wendland im Osten sind größere Dörfer und erst recht Städte rar. Oldenburg, mit 140 000 Einwohnern größte Stadt der norddeutschen Geest,

▲ *Im Jahr 1248 war Grundsteinlegung des Doms St. Peter und Marien in Köln. Die Silhouette des aus 50 verschiedenen Gesteinsarten errichteten Gotteshauses neben den stählernen Bogen der Hohenzollernbrücke läßt die gewaltigen Dimensionen der größten Kathedrale Deutschlands erahnen.*

ber zur Celler Hengstparade die 200 feurigen Hengste des Niedersächsischen Landgestüts durch die Stadt paradieren. Seit 1855 werden bei Celle Erdöl und Erdgas gefördert; das Erdölgebiet Wietze westlich der Stadt beansprucht die Rolle der Wiege der Erdölförderung in der Welt.

Die Ölvorkommen im Untergrund Norddeutschlands haben sich meist unter den pilzförmigen Hüten von unterirdischen Salzstöcken angesammelt. Über einem solchen Salzstock, welcher aus mehreren tausend Metern Tiefe bis nahe an die Erdoberfläche geschoben wurde, liegt Lüneburg. Die sehenswerte alte Hansestadt verdankt ihren Wohlstand allerdings nicht dem Erdöl, sondern *mons, pons, fons* (dem Berg, der Brücke, der Quelle): dem Kalkberg in der flachwelligen Lüneburger Heide, auf dem im Jahr 950 eine Burg errichtet wurde, der wichtigen Brücke über das Heideflüßchen Ilmenau, vor allem aber der Solequelle, aus der über 1000 Jahre lang, von 956 bis 1980, in einer Saline Salz gewonnen wurde. An der Ringstraße, die den Fernverkehr um den Stadtkern mit den schönen Backsteinbauten führt, bietet ein Stückchen Heidelandschaft genau das Bild, das man sich von der Lüneburger Heide macht; mit fußhohem Heidekraut, das im Spätsommer purpurrot blüht, und ein paar Wacholdersträuchern dazwischen. Das Idyll trügt jedoch. Die Lüneburger Heide macht ihrem Namen nur noch an ganz wenigen Stellen Ehre, weil die meisten Heideflächen in den letzten 100 Jahren in monotone Nadelholzkulturen umgewandelt wurden. Was übrig blieb, muß mühsam erhalten werden, obwohl diese Heide strenggenommen nur ein Produkt der Umweltsünden vergangener Jahrhunderte ist. Ursprünglich war dieser Teil der norddeutschen Geest eine Waldlandschaft wie anderswo auch, bedeckt von Eichen-, Birken- und Buchenwäldern. Weil man in der Lüneburger Saline viel Holz zum Befeuern der Siedepfannen brauchte, wurden die Wälder im weiten Umkreis um die Salzstadt rücksichtslos abgeholzt und buchstäblich verheizt. Zurück blieb eine Zwergstrauchsteppe mit Wanderdünen und Mooren, eine einmalige Kulturlandschaft, die kaum ihresgleichen hat.

ist durch den Küstenkanal sowie die kanalisierte, in die Unterweser mündende Hunte mit dem Meer verbunden und daher beinahe eine Küstenstadt. Sie zehrte lange von ihrer Rolle als schmucke großherzogliche Residenz dieser Region, die standesgemäß ein Schloß (17.–19. Jh.) und einen gepflegten Schloßgarten vorweisen konnte. Wie eine Perle im Heidesand wirkt die malerische Fachwerkstadt Celle, ebenfalls ehemalige Residenz und dem britischen Königshaus seit langem eng verbunden. Das Schloßthea-

ter ist das älteste fürstliche Theater in Deutschland (1674), in dem bis heute gespielt wird. Die Schauspieler werden jedoch zu Statisten, wenn alljährlich Ende September-

▶ *Karl der Große ist beinahe 1200 Jahre nach seinem Tod in der einstigen Königsresidenz Aachen immer noch allgegenwärtig: in Namen, Bauwerken, Denkmälern und nicht zuletzt in dem prunkvollen Büstenreliquiar, das die Hirnschale des im Jahr 814 verstorbenen Frankenkönigs enthält.*

▲ *Sanft geschwungene Bergrücken, ein Mosaik aus Feldern, Wiesen und Wäldern und auf der Höhe eine Burgruine – eine typisch deutsche Mittelgebirgs-landschaft (hier die Eifel zwischen Rhein, Mosel und Rur).*

Industrierevier und Bauernland
Ein Streifzug durch Westfalen

Achtlos ging man einst mit der Steinkohle um, die im südlichen Westfalen am Rand des Mittelgebirges zutage trat. Das schwarze, brennbare Gestein wurde zwar schon seit dem Mittelalter in kleinen Gruben abgebaut, aber erst im 19. Jh. erkannte man, welche Schätze in den Böden der Westfälischen Tieflands-bucht lagern. Der Steinkohle, neben der Braunkohle der wertvollste Rohstoff, den Deutschland besitzt, verdanken die Deut-schen ihren Aufstieg zur Industrienation. Mit diesem Schatz ist die Republik noch reichlich gesegnet; selbst bei vorsichtiger Schätzung der Reserven reichen die deutschen Steinkoh-levorkommen noch für mindestens 500 Jahre. Die Freude über die nahezu unerschöpf-lichen Vorkommen wird allerdings dadurch getrübt, daß der Bergbau in immer größere Tiefen vordringen muß; das derzeit tiefste Steinkohlenbergwerk Deutschlands fördert

unter den Ausläufern des Teutoburger Walds hochwertige Kohle aus mehr als 1000 m Tiefe. Außerdem sind die kohleführenden Schichten stark zerstückelt, was die Förde-rung sehr schwierig und kostspielig macht. Mittlerweile ist einheimische Steinkohle etwa dreimal so teuer wie die Kohle aus Südafrika oder der Sowjetunion. Die Zahl der Zechen hat sich seit den 50er Jahren um fast 90 % verringert, und die wenigen, die noch för-dern, müssen mit Zuschüssen in Milliarden-höhe subventioniert werden.

An den Landschaftsformen ist leicht zu er-kennen, in welches verwirrende Mosaik die Gesteinsschichten im westfälischen Bergland zwischen der Ems und der Weser zerbrochen sind. Wie die Rückenpanzer versteinerter Urtiere sehen die von Talkerben zersägten Schichtkämme aus, die sich vom Egge-gebirge im Süden und vom Wesergebirge im Osten als Gebirgskeil nach Nordwesten ins Tiefland schieben. Die Kämme, meist nur 300–400 m hoch, machen stellenweise durch schroffe Klippen wett, was ihnen an Höhen-metern fehlt. Ein beeindruckendes Beispiel sind die Externsteine, gewaltige Felssäulen,

die wahrscheinlich schon in vorgeschichtli-cher Zeit als heidnische Kultstätte dienten. Nicht weit davon entfernt erinnert das Her-mannsdenkmal auf der Grotenburg bei Det-mold an den keineswegs sicher verbürgten Sieg des Cheruskerhäuptlings Hermann und seiner germanischen „Guerilla" über die römischen Besatzer im Jahr 9 n. Chr. Histo-rische Wahrheit oder nicht – dem kühnen Hermann wurde 1875 ein pompöses Denk-mal gesetzt, und man nahm ihn in den Kreis der deutschen Nationalhelden auf.

Das Weserbergland, das zum Stammes-gebiet der Westfalen gehört, gebärdet sich geologisch und historisch friedlicher. Die schroffen Kämme machen hier nach und nach sanft gewölbten Buntsandsteinplateaus wie dem Solling oder dem Reinhardswald Platz, und die Denkmäler erinnern z. B. an die Begegnung zweier Flüsse, wie in Münden, „wo Werra sich und Fulda küs-sen", um zur Weser zu werden; an den Lü-genbaron Münchhausen, an Dornröschen, das viele Jahre in seiner Burg im Reinhards-wald schlummerte, bevor es von dem tapfe-ren Prinzen wachgeküßt wurde. Das Weser-

▲ *Trier: Kaum ein anderer Ort nördlich der Alpen besitzt so großartige Bauten aus der Römerzeit wie Augusta Treverorum an der Mosel, darunter die Porta Nigra, das „Schwarze Tor", eine Torburg der römischen Stadtbefestigung vom Ende des 2. Jh. n. Chr.*

bergland ist ein Land der Märchen und Sagen, man merkt es spätestens an den Sieben Bergen bei Alfeld, hinter denen Schneewittchens Sieben Zwerge zu Hause sein sollen, oder an der schönen, alten Weserstadt Hameln, aus der der Sage nach Anno 1284 ein um seinen Lohn geprellter Rattenfänger mit einer Schar von Kindern auf Nimmerwiedersehen verschwand.

Die frühmittelalterliche Geschichte des Landes beiderseits des Oberlaufs der Weser war von zentraler Bedeutung für das Entstehen Deutschlands. Hier brauchte Karl der Große (747–814) an der Wende vom 8. zum 9. Jh. über 30 Jahre, um die heidnischen Sachsen zu unterwerfen, zum Christentum zu bekehren und zwangsweise in andere Teile seines Reichs umzusiedeln. Der Frankenkönig legte damit den Grundstein für die Einigung der deutschen Stämme beiderseits des Rheins. Von christlicher Nächstenliebe ließ sich Karl bei seinen Feldzügen gegen die Sachsen nicht unbedingt leiten, er missionierte mit dem Schwert. In der „Weserfestung", wie das vom Teutoburger Wald und vom Wiehengebirge umrahmte Hügelland westlich der Weser genannt wird, leisteten die Sachsen lange erbitterten Widerstand. Um sie nach der Unterwerfung besser unter seiner Herrschaft und beim rechten Glauben zu halten, gründete Karl der Große in dieser Gegend Deutschlands gleich vier neue Bistümer. An der Porta Westfalica, der Talpforte, durch welche die Weser das Mittelgebirge verläßt, entstand um 800 die Bischofsstadt Minden. In ihrer Nähe kreuzen sich heute die Wasserstraßen Weser und Mittellandkanal. „Minden ist eine feste Burg", schrieb einst Heinrich Heine, und ein Blick auf den wehrhaften romanischen Dom St. Peter zeigt noch immer, was er gemeint hat. In Paderborn hielt Karl der Große im Jahr 777 den ersten Reichstag auf sächsischem Gebiet ab, 806 wurde die Stadt, in der 779 mit dem Treffen

zwischen Papst Leo III. und Karl dem Großen die Geschichte des Heiligen Römischen Reiches Deutscher Nation begann, Bischofssitz. Fürstbischöfe und das Bürgertum suchten einander mit immer prächtigeren Bauten zu übertrumpfen – mit dem altehrwürdigen Dom, der Franziskanerkirche St. Joseph, der wohl schönsten Barockkirche Westfalens, mit dem Wasserschloß Neuhaus, der vieltürmigen bischöflichen Residenz.

Kirchen und Bischofspaläste bestimmen auch das Bild von Osnabrück und Münster. In Münster, der 1200jährigen Bischofsstadt an der Aa, wurde mit dem spätromanisch/frühgotischen Dom St. Paulus die größte Kirche Westfalens errichtet; die Stadt war ein führendes Mitglied der Hanse.

Die hügelige Landschaft rund um die Domstadt, in der mit dem Westfälischen Frieden 1648 der Dreißigjährige Krieg beendet wurde, ist das Herz Westfalens, altes Bauernland, in dem man mit Beharrlichkeit, manche sagen, typisch westfälischer Dickschädeligkeit, an seinen Traditionen festhält. Im westfälischen Tiefland halten die stolzen Bauernhöfe Distanz, liegen zwischen Hekken und kleinen Wäldchen über die Landschaft verstreut. Viele sind von Gräften, wassergefüllten Gräben, umgeben und wirken wie jene Wasserburgen, an denen das westfälische Münsterland so reich ist. Zu solchen Höfen gehören auch heute noch Pferde, die man im ländlichen Westfalen besonders schätzt, und nicht ohne Grund ist die westfälische Kreisstadt Warendorf Sitz des Landgestüts und des Deutschen Olympiakomitees für Reiterei, also Zentrum des deutschen Reitsports. Ursprünglich wie das Brauchtum ist auch die Küche: westfälischer Schinken, pechschwarzer Pumpernickel, Pickert, das Nationalgericht (Pfannkuchen aus Mehl und Kartoffeln), Paderborner Bier und Korn.

Die Pader, von mehr als 200 Quellen in der Bischofsstadt Paderborn gespeist, ist

einer der merkwürdigsten, gewiß aber der kürzeste aller deutschen Flüsse. Ganze 4 km mißt ihr Lauf von den Quellen bis zur Mündung in die Lippe, welche die gesamte Westfälische Tieflandbucht von Ost nach West durchfließt und bei Wesel in den Rhein mündet. Mit ihrem Unterlauf begrenzt die Lippe das Ruhrgebiet, eines der größten Industrieviere der Welt, das freilich nach einem anderen Fluß benannt ist. Die Region zwischen Ruhr und Lippe mit ihren Steinkohlenzechen, Stahlwerken und Chemiefabriken war bis vor 30 Jahren das wirtschaftliche Herz Deutschlands. Von der weltweiten Krise der Schwerindustrie getroffen, mußte sie sich in wenigen Jahren ein neues wirtschaftliches Fundament suchen, und die erzwungene Verjüngungskur hat dem Ruhrgebiet nicht nur wirtschaftlich gutgetan. Früher der unter ständigem Smog leidende, rauchgeschwärzte deutsche „Kohlenpott",

▲ *Erst im Mittelalter wurde es üblich, Weinberge, wie hier im Moselstädtchen Zell, an steilen Hängen anzulegen; zuvor hatte man die Reben in ebenem Gelände kultiviert. Für die Qualität eines guten Tropfens hat es sich als günstig herausgestellt, wenn der Neigungswinkel der Weinberge ca. 30° beträgt. Fast senkrecht fällt so die Sonne zur Mittagszeit auf die edlen Trauben.*

präsentiert sich die Region nach der Einführung neuer, rauchloser Industrien mehr und mehr als „grünes Revier" mit vielen künstlichen Seen und ausgedehnten Grünanlagen. Der typische Kumpel von der Ruhr, der das schwarze Gold in mühsamer Arbeit aus der Tiefe förderte, am Feierabend den Kohlenstaub in der Kneipe an der Ecke mit einem Dortmunder Pils aus der Kehle spülte und sich liebevoll um seinen Schrebergarten oder die Brieftauben kümmerte, ist rarer geworden; seit Mitte der 50er Jahre, als der Steinkohlenbergbau im Ruhrgebiet noch florierte, ist die Zahl der Bergleute um rund 80% zurückgegangen.

In Essen hat die letzte Zeche längst geschlossen. Die größte Stadt des Ruhrgebiets, sechstgrößte der Bundesrepublik, ist heute mehr Verwaltungs- und Messestadt als Industriestandort. Kulturell hat sie vor allem in Bochum einen scharfen Konkurrenten, der mit dem renommierten Schauspielhaus und den Bochumer Symphonikern zwei Trumpfkarten besitzt. Wie eng Kohle und Kultur einst im Kohlenpott verflochten waren, zeigt die Geschichte der Ruhrfestspiele in Recklinghausen. Entstanden sind diese internationalen Theatertreffen, vereinfacht gesagt, durch ein Tauschgeschäft: Kohle gegen Kunst. Im kalten Winter 1946/47 lieferte Recklinghausen Koks an das Staatstheater Hamburg, das sich dafür im folgenden Sommer mit einem Gastspiel in der Bergbaustadt revanchierte. Wenn vom „Gelsenkirchener Barock" gesprochen wird, dann klingt das für die Einwohner der Stadt am nördlichen Rand des Ruhrgebiets nicht gerade wie ein Kompliment, das Stichwort „Schalke" löst dagegen einhelliges Interesse aus, wenigstens bei den deutschen Fußballfans.

Nasser Limes und Rheinschiene
Brauereien und Flußwasser

Wo die Lippe bei Wesel in den Rhein mündet, ist dieser, mit 865 km Länge der größte Fluß in der Bundesrepublik, fast 1000 m breit; ein stattlicher Strom, der streckenweise die natürliche Grenze zu den Nachbarländern Frankreich und Schweiz bildet. Die erste Brücke schlugen 55 v. Chr. die Römer

▲ *Als Zollburg wurde die Festung Pfalzgrafenstein am engen Rheindurchbruch bei Kaub erbaut. Wie ein steinernes Schiff liegt sie auf einer Insel im Strom.*

zwischen Koblenz und Andernach über den Rhein, wo der Strom relativ schmal, dafür aber sehr reißend ist. Der untere Flußlauf, vor allem der Niederrhein, galt den Römern als „nasser Limes", der ihre Provinz Niedergermanien vor den Angriffen germanischer Stämme schützte.

Schon in römischer Zeit versorgte eine große Flotte auf dem Rhein die römischen Siedlungen zwischen Straßburg und Xanten mit Gütern. Auch im Mittelalter wurde die große Wasserstraße viel befahren, bis das Raubritterwesen und die vielen Zoll- und Umschlagstationen am Strom den Rheinschiffern die Arbeit immer mehr erschwerten. Erst im 19. Jh. kam es zu einem Vertrag, der den Schiffen aller Uferstaaten die freie Fahrt auf dem Rhein von Basel bis ans offene Meer für alle Zeiten garantierte. Seither ist der Rhein, inzwischen durch seine Nebenflüsse und ein Netz von Kanälen mit allen Stromgebieten Mitteleuropas verbunden, die wichtigste und verkehrsreichste Binnenwasserstraße Europas, vielleicht sogar der Welt.

Für die industriellen Ballungsgebiete, die von Rotterdam bis Basel am Rhein entstanden sind, ist der Strom der bevorzugte Transportweg, vor allem für Massengüter wie Kies, Heizöl, Kohle und Erze. Allein in den deutschen Rheinhäfen werden Jahr für Jahr weit über 100 Mio. Tonnen dieser Güter umgeschlagen.

Zu der sichtbaren Fracht, die auf Schiffen stromauf und stromab transportiert wird, kommt noch eine andere, unsichtbare, welche die Wasser des Rheins mindestens in den gleichen Mengen mit sich schleppen. Es sind natürliche Stoffe wie Sand und Schlamm, aber auch schädliche Chemikalien aller Art, denen der frühere Fischreichtum des Rheins längst zum Opfer gefallen ist. Die Liste der in seinem Wasser enthaltenen Schadstoffe

sieht beinahe wie das Stichwortregister eines Chemielehrbuchs aus. Zwar schneidet der Rhein im Vergleich mit anderen deutschen Flüssen, etwa der Weser oder der Elbe, noch relativ günstig ab, was die Wasserverschmutzung betrifft, doch ist diese hier ein besonderes Problem, weil die Wasserwerke der großen Städte am Unterlauf des Stroms einen beachtlichen Teil des Trinkwassers aus dem Rhein gewinnen.

Insgesamt beziehen fast 10 Mio. Deutsche Wasser aus dem Rhein. Wie die Experten versichern, steht das aufbereitete Flußwasser in der Qualität frischem Quellwasser nicht nach. Bei einer Brauerei im Rheinland ist der Umsatz angeblich sogar kräftig gewachsen, seitdem zum Brauen aufbereitetes Flußwasser verwendet wird. Das Bier soll jetzt besser schmecken als vorher – für die Menschen an Rhein und Ruhr das wohl beste Argument für Flußwasser, denn beim Bier macht man dort keine Kompromisse.

Städte am Niederrhein
Rheinischer Frohsinn und Kommerz

In der Landeshauptstadt Nordrhein-Westfalens schätzt man das dunkle, obergärige Altbier. Keine andere Stadt Deutschlands, die bayerischen Bierhochburgen eingeschlossen, besitzt auf engstem Raum so viele Bierkneipen wie die Düsseldorfer Altstadt, die „längste Theke der Welt", wie stolz behauptet wird. Rheinischer Frohsinn und Gemütlichkeit sind indes nur eine Seite des 1380 zur fürstlichen Residenz erhobenen „Dorfs an der Düssel", die andere ist die Betriebsamkeit in den Banken, auf den Messen, in der Börse und in den großen Handelshäusern mit ihren Verbindungen in alle Welt. Düsseldorf ist nach Frankfurt der zweitgrößte

Banken- und Börsenplatz sowie das führende Außenhandelszentrum der Bundesrepublik Deutschland. Was die Exklusivität des Angebots (und der Preise) angeht, läßt die „Kö", die 800 m lange Königsallee, sämtliche anderen noblen Flanier- und Einkaufsstraßen zwischen Rhein und Oder weit hinter sich.

Rund 20 Stromkilometer rheinabwärts macht die seit 100 Jahren aus vielen Dörfern

▲ *Das malerische Fachwerkstädtchen Beilstein entstand im Schutz der gleichnamigen Burg am rechten Ufer der Mosel. Die Reichsfeste wurde im Jahr 1688 zerstört. Beilstein ist heute ein bekannter Weinbauort und ein beliebtes Ausflugsziel.*

und Städten zusammengewachsene Halbmillionenstadt Duisburg mit anderen Rekorden auf sich aufmerksam. Das Bier taucht in der Liste Duisburger Superlative natürlich auch wieder auf, denn hier produziert die größte Privatbrauerei Deutschlands. Wichtiger ist jedoch die Rolle der Stadt als größte Stahlschmelze des Landes und als wahrscheinlich

größter Binnenhafen der Welt, in dem jährlich etwa 50–60 Mio. t Schiffsgüter umgeschlagen werden.

Die Städte am linken Ufer des Niederrheins können weniger mit Wirtschaftserfolgen protzen. Ihre zum Teil 2000jährige Geschichte spricht für sie, und als historische Zentren der Rheinlande behaupten sie ihren Rang. Welche

andere deutsche Stadt trägt einen so an ferne Geschichte erinnernden Namen wie Xanten (*ad sanctos*, zu den Heiligen) und kann sich gleichzeitig mit einem römischen Amphitheater, einem romanischen Dom und Renaissance-Bauten schmücken?

Den klangvollen Beinamen „Rom des Nordens" trägt allerdings eine andere Stadt,

▲ *Barockes Glanzstück Saarbrückens ist die in den Jahren 1762–1775 von Friedrich Joachim Stengel errichtete Ludwigskirche im klassizistisch-spätbarocken Stil, vor der sich einer der schönsten Barockplätze Deutschlands ausbreitet. Der an der Berliner Akademie ausgebildete Baumeister prägte mit seiner Architektur in wesentlichen Zügen das Stadtbild der ehemaligen Fürstenresidenz.*

die um 38 v. Chr. von den Römern am linken Rheinufer gegründet wurde und im Jahr 50 n. Chr. mit den römischen Stadtrechten den Namen „Colonia Claudia Ara Agrippinensis" erhielt. Von diesem zungenbrecherischen Namen blieb bald nur noch *Colonia*, zu deutsch „Köln", übrig. Im 2. Jh. entwickelte sich die niedergermanische Hauptstadt zu einem Zentrum des Kunsthandwerks, und im 4. Jh. wurde sie Bischofssitz. Die glanzvolle Vergangenheit und die zahllosen historischen Kunstdenkmäler, vom Palast der römischen Statthalter über den Dom St. Peter und Maria, weltweit als Kölner Dom bekannt, bis hin zum Gürzenich, dem gotischen Fest- und Tanzhaus der Bürgerschaft, lasten beinahe wie eine Bürde auf der Stadt. Für den Besucher mögen sie zuweilen

eine museale Atmosphäre verbreiten, die gar nicht zu der quicklebendigen Metropole paßt. Der größte Goldsarkophag des Abendlands, die größte, schwingende Glocke der Welt (beide im Dom), die riesige Sammlung mittelalterlicher Malerei im Wallraf-Richartz-Museum, der älteste erhaltene Kreuzgang in Deutschland in der 980 geweihten romanischen Kirche St. Pantaleon; die Aufzählung der historischen Kostbarkeiten Kölns könnte Seiten füllen. Aber die Kölner haben es verstanden, ihr geschichtliches Erbe durch moderne Akzente zu ergänzen. So ist im 1986 eröffneten Kulturzentrum nicht nur die Philharmonie und das bereits erwähnte Wallraf-Richartz-Museum, sondern auch das Museum Ludwig untergebracht, das sich auf die Kunst des 20. Jh. spezialisiert hat; u. a. zeigt es eine bedeutende Sammlung zur Geschichte der Fotografie.

Mit dem Klischee von der rheinischen Frohnatur und der Karnevalsseligkeit, das den Kölnern anhaftet, räumten in der Nachkriegszeit vor allem zwei gebürtige Kölner auf: Heinrich Böll und Konrad Adenauer. Der Schriftsteller als hellwacher, unbequemer Kritiker, der Staatsmann als Oberbürgermeister und späterer Bundeskanzler.

◄ *Unweit des Zusammenflusses von Mosel und Rhein steht die Kirche St. Kastor, einer der schönsten romanischen Bauten am Mittelrhein. Ad confluentes nannten die Römer den Ort, an dem sich die Flüsse mischen; deutsche Zungen machten daraus Koblenz.*

► *Burg Neukatzenelnbogen, kurz „die Katz" genannt, thront bei St. Goarshausen, der Loreleystadt, über dem Rheintal. Fast scheint es so, als ob sie ihre Krallen nach der Burg Maus ausstreckt, die nicht weit entfernt liegt.*

Südliche Gefilde

Die Stadt, in der Adenauer 1949 an die Spitze der ersten demokratisch gewählten deutschen Regierung der Nachkriegszeit trat, ist kaum jünger als Köln. Als Residenz der Kölner Erzbischöfe und Kurfürsten stand Bonn seit dem 13. Jh. in der politischen Hierarchie sogar über Köln. Dennoch hatte es die geruhsame Universitäts- und Pensionärsstadt nach der Wahl zur vorläufigen Bundeshauptstadt schwer, den Ruf des „Bundesdorfs" abzulegen. Gerade als das Provisorium sich vier Jahrzehnte lang bewährt hatte, wurden die Bonner unsanft daran erinnert, daß im Grundgesetz Berlin als deutsche Hauptstadt festgeschrieben ist. Welche Bundesorgane nach dem Umzug des Bundestags nach Berlin in der Stadt am Rhein bleiben werden, wird sich wohl erst gegen Ende dieses Jahrhunderts entscheiden, sicher ist jedoch, daß die neuerworbenen Erinnerungsstücke wie das Bundeshaus oder das Bundeskanzleramt mit den Bauten der ehemaligen Residenz am Hofgarten, dem Poppelsdorfer Schloß oder anderen Baudenkmälern aus kurfürstlicher Zeit nicht zu vergleichen sind. Sie werden Bonn, das 1989 sein 2000jähriges Bestehen feierte, ebenso erhalten bleiben wie das Beethovendenkmal auf dem Münsterplatz, obwohl der Komponist seine Heimatstadt schon früh verließ.

Braunkohle, Loreley und Weinberge
Von Bonn zur Mosel

Am südlichen Rand der Niederrheinischen Bucht, die der Rhein breit und behäbig auf seinem Weg zur Nordsee durchquert, liegt Bonn, die entthronte Bundeshauptstadt. Nahe der niederländischen Grenze begleiten ihn an beiden Ufern ausgedehnte Flußmarschen. Im südlichen Teil der Bucht, die das Rheinische Schiefergebirge wie ein Keil in zwei Teile spaltet, schneidet sich der Strom durch einen riesigen Schwemmkegel, den er im Eiszeitalter am Gebirgsrand aufgeschüttet hat. Stufenförmig steigt das Gelände von der Stromaue zu den mit Sanddünen und Löß bedeckten höheren Terrassen an. Unter den eiszeitlichen Schichten lagern dicke Braunkohlenflöze, die im Tagebau gefördert und

◀ *Malerisch schmiegt sich Bacharach, die traditionsreiche Winzer- und Römerstadt, an das Ufer des Rheins. Rechts im Bild ist die rote Sandsteinruine der Wernerkapelle (13.–15. Jh.) zu sehen. Sie soll der Legende nach ein Sühnemal für den im Jahr 1278 ermordeten Knaben Werner sein.*

▲ *Der Römer, ein Komplex aus elf ehemals getrennt stehenden Häusern, darunter das historische Rathaus der alten Messe- und Handelsstadt Frankfurt am Main; rechts hinter der gotischen Fassade im hellen Purpurrot des deutschen Buntsandsteins erkennt man den Turm der Paulskirche. In ihr tagte 1848–1849 die Erste Deutsche Nationalversammlung.*

in Wärmekraftwerken zur Stromerzeugung verfeuert werden. Die Braunkohlenlager im Rheinischen Revier zwischen Köln und Aachen sowie die Vorkommen in den neuen Bundesländern machen die Bundesrepublik Deutschland zum weltweit größten Produzenten und Verbraucher von Braunkohle. Ein Rekord, der keineswegs nur Anlaß zur Freude ist, denn die Verfeuerung der oft stark schwefelhaltigen Braunkohle bringt zum einen eine hohe Umweltbelastung mit sich, zum andern verteuert sich die Kohleförderung ständig, weil immer tiefer lagernde Flöze abgebaut werden müssen. Um 1 t Braunkohle zu gewinnen, müssen in manchen Kohlengruben bereits 10 t Gestein bewegt werden. Westlich von Köln werden sich die Schaufelradbagger voraussichtlich in den nächsten Jahrzehnten 470 m tief in den Erdboden fressen.

Dagegen wirkt die Zerstörungsarbeit des Rheins bescheiden. Allenfalls 200 m tief hat er sich im Lauf von 1 Mio. Jahren zwischen Bingen und Bonn in das Schiefergebirge eingekerbt und ein enges Durchbruchstal geschaffen. Schiefergraue Dörfer und Städtchen drängen sich in die Mündungen der Nebentäler, wie Schwalbennester kleben mittelalterliche Burgen auf blanken Felsen. An der Sonnenseite bedecken Wein- und Obstgärten die Talhänge, die Schattenhänge werden von Buschwäldern eingenommen. Die Schiffer haben jedoch bei der Fahrt durch das Mittelrheintal kaum Gelegenheit, die malerische Tallandschaft zu genießen, denn die Fahrrinne ist nur schmal und unter dem Wasserspiegel lauern tückische Klippen, etwa am „Wilden Gefährt" zwischen Bacharach und Kaub oder unterhalb der Loreley.

„Ich weiß nicht, was soll das bedeuten, daß ich so traurig bin ..." – nur wenige Rheindampfer passieren den 130 m hohen, senkrechten Schieferfelsen kurz vor St. Goarshausen, ohne daß das Lied von der „Lore Lay", der von Clemens Brentano geschaffenen Phantasiegestalt, aus den Lautsprechern an Bord dringt. Die schaurig-schöne Mär von dem liebreizenden, aber hinterhältigen Mädchen, das die Schiffer in seinen Bann zieht, um sie ins Verderben zu stürzen, ist die bekannteste Schöpfung der „Rheinromantik", die im 19. Jh. bei deutschen Dichtern ein beliebtes Thema war. Nostalgie, romantische Schwärmerei, Katzenjammer nach einer durchzechten Nacht und heimatliche Gefühle vermischen sich in den Rheinhymnen zu einem typisch deutschen „Gemütstropfen". Dichter anderer Nationen sind gegen diesen Virus jedoch auch nicht gefeit. Im 4. Jh. reimte der römische Dichter Ausonius: „Gruß dir, Fluß, dich preiset die Flur und preiset der Landmann, Fluß, der die Reihen der Berge bepflanzt sieht mit duftendem Weine und bepflanzt auch die grasigen Ufer, du grünster der Flüsse!" Er widmete die Lobeshymne allerdings einem Nebenfluß des Rheins, der Mosel, und begeisterte sich vor allem für den Wein. Ein netter Zufall, daß sich im Deutschen „Wein" so gut auf „Rhein" reimt. Vater Rhein und seine Kinder bescheren nicht nur den Bundesbürgern nahezu alle guten Tropfen, die im eigenen Land gekeltert werden. Von den zwölf großen deutschen Weinanbaugebieten liegen elf am Rhein und seinen Nebenflüssen, angefangen am Nordufer des Bodensees um Meersburg, wo die beliebten Seeweine gewonnen werden, über den Rheingau bis hinunter zum Ahrtal, das sich durch seine kräftigen Spätburgunderrotweine einen Namen gemacht hat.

Das Moseltal verdankt seinen Ruhm als Weinbaugebiet in erster Linie der klassischen Rieslingrebe. An dem rund 200 km langen, vielfach gewundenen Lauf zwischen Trier und Koblenz sind die Weinberge so steil wie nirgendwo sonst in Deutschland. Blumige, zarte Weißweine kommen aus der Gegend um Bernkastel – edle Tropfen. Die Qualität der Weine hängt hauptsächlich vom Jahrgang, der Zeit der Lese, der Rebsorte und von der Lage ab. Auf das Klima hat die Mosel kaum Einfluß, aber die Lage, nach der die Weinkenner immer zuerst fragen, wurde durch sie entscheidend geprägt. Sie hat die unterschiedlichen Gesteinsschichten freigespült, die dem Wein den jeweiligen, charakteristischen Bodengeschmack geben, und formte die steilen Prallhänge, die an der Sonnenseite wie natürliche Sonnenkollektoren wirken. Die berühmteste Lage in Bernkastel trägt den Namen „Doktor"; angeblich soll ein todkranker Trierer Erzbischof nach einem Glas von diesem Wein wieder kerngesund geworden sein.

Feucht-fröhliche Ausflugsfahrten an den Mittelrhein, an die Mosel, die Ahr und die anderen Zuflüsse führen fast ausschließlich durch Täler. Die Mittelgebirge, in die sich die Flüsse in geduldiger Arbeit eingeschnitten haben, Hunsrück und Eifel links, Taunus, Westerwald und Rothaargebirge rechts des Rheins, gelten mit ihren dunklen Fichtenwäldern und windigen Höhen eher als

▶ *Das Schloß der Fürsten zu Isenburg und Büdingen im gleichnamigen Städtchen am Fuß des Vogelsbergs zählt zu den eindrucksvollsten Burganlagen der Spätgotik und Renaissance in Deutschland. Sie besteht im Kern aus einer mittelalterlichen Wasserburg (12. Jh.), die im 15. und 16. Jh. zu einem repräsentativen Herrensitz erweitert wurde.*

▲ *Oft besungen, beschrieben und besucht: die traditionsreiche Universitätsstadt Heidelberg. Die Alte Brücke (Karl-Theodor-Brücke) überspannt seit 1788 den Neckar, überragt vom Schloß, das selbst als Ruine noch von der Macht, Baulust und Sinnenfreude der Pfalzgrafen bei Rhein zeugt.*

Revier eigenwilliger und wetterfester Wanderer. Nur die Eifel bildet eine Ausnahme. Das Mittelgebirge zwischen Rur, Rhein und Mosel wurde in seiner erdgeschichtlichen Entwicklung von den Lavaströmen von mehr als 200 Vulkanen durchbrochen. Es lockt Ausflügler mit der erstarrten Lava schon längst erloschener Vulkane. Besonders am Laacher See, dem größten Eifelmaar, und rund um den Nürburgring ist sie noch sichtbar. Die in den Jahren 1925–1927 angelegte Rennstrecke gilt als die schönste und anspruchsvollste der Welt.

Dichtung und Wahrheit
Spessarträuber, Drachen ...

Von Vulkanausbrüchen, verheerenden Erdbeben und ähnlichen Naturkatastrophen ist Mitteleuropa in den letzten Jahrhunderten verschont geblieben. Der Ausbruch am Laacher See in der Eifel, bei dem der Wind Aschenwolken bis nach Pommern und Südfrankreich trieb, liegt 10000 Jahre zurück. Heute erinnern nur noch heiße und kohlensäurereiche Quellen an die einstigen Feuerberge. Infolge von Senkungen der Erdkruste kommt es hin und wieder zu Erdbeben; die heftigsten treten in Mitteleuropa am Ober-

rhein und am Niederrhein auf. Dieses durch Erdbeben gefährdete Gebiet verläuft von Basel nordwärts bis an den Zusammenfluß von Rhein und Main, spaltet sich dort in zwei Äste auf, die sich quer durch die Mittelgebirge und im Untergrund des Norddeutschen Tieflands bis an die Küste verfolgen lassen. In diesen Zonen dehnt sich die Erdkruste schon seit über 200 Mio. Jahren; sie zerreißt in Bruchstücke und bildet Spalten, in denen einst Gesteinsschmelzen bis zur Erdoberfläche aufsteigen und Vulkangebirge aufbauen konnten.

Das größte Vulkanmassiv Mitteleuropas liegt im Hessischen Bergland: Der Vogelsberg, ein 2500 km² großes Areal, ist mit einer geschlossenen Basaltdecke überzogen. Im Osten ragen die vulkanischen Kuppen der Rhön mit der 950 m hohen Wasserkuppe auf, dem Zentrum der Segelfliegerei in deutschen Gefilden. Der Hohe Meißner ist ein „märchenhafter", im Winter von einer dicken Schneedecke überzogener Basalttafelberg; hier soll angeblich „Frau Holle" wohnen, die morgens die Betten am offenen Fenster ausschüttelt und es so schneien läßt. Im benachbarten Kassel stellt ein Museum das Leben der Brüder Jacob und Wilhelm Grimm vor, die den reichen Schatz hessischer Märchen zusammentrugen. Diese Stadt, ehemals kurhessische Residenz, verwandelt sich alle

fünf Jahre während der „documenta", der Weltausstellung der Kunst des 20.Jh., in eine einzige große Galerie. In ihr präsentiert die künstlerische Avantgarde sich und ihre Werke einem teils begeisterten, teils überforderten Publikum. Kunstfreunde, die Althergebrachtes bevorzugen, werden in der nordhessischen Metropole mit Leckerbissen wie dem einzigartigen Bergpark Wilhelmshöhe oder der Gemäldegalerie Alte Meister im gleichnamigen Schloß verwöhnt.

Südlich des Vogelsbergs weht ein ganz anderer Wind als im eher beschaulichen Nordhessen. Während in Kassel seit 1717 das kupferne Standbild des Herkules die Silhouette der Stadt bestimmt, läßt der Beiname „Mainhattan" schon ahnen, welche Bauten die Skyline von Frankfurt am Main prägen. Seit Anfang der 90er Jahre ist der von dem deutsch-amerikanischen Architekten Helmut Jahn erbaute Messeturm neues Wahrzeichen der Stadt. Die Konstruktion des 256,5 m hohen Bauwerks erinnert an einen überdimensionalen Bleistift.

▶ *Die Altstadt von Tübingen aus der Vogelperspektive; im Mittelpunkt des Bauensembles am Marktplatz mit dem Neptunbrunnen steht das Renaissancerathaus, im 15. Jh. begonnen und mehrmals umgebaut. Seit 1877 schmücken farbenprächtige Malereien die Fassade.*

▲ *Nur ledige Mädchen tragen den roten Bollen-hut, bei verheirateten Frauen hingegen sind die Bollen schwarz. Die bekannteste Tracht der Schwarzwälderinnen ist jedoch nur eine von vielen; man findet sie in einigen evangelischen Gemeinden des Gutachtals.*

Um ein Haar wäre die alte Handels- und Messestadt bei der Gründung der Bundesrepublik Deutschland zur vorläufigen Bundeshauptstadt gewählt worden, doch der mit allen politischen Tricks vertraute Konrad Adenauer verhalf seiner rheinischen Lieblingskandidatin Bonn zum Sieg. Dies hat jedoch dem Aufschwung der Mainmetropole keinen Abbruch getan, sie hat sich zu *dem* Handels- und Finanzzentrum der Republik entwickelt. Über Jahre hinaus sind die Messehallen ausgebucht, die wichtigste deutsche Börse und die Bundesbank haben hier ihren

◄ *Würzburg: Balthasar Neumann (1687–1753) hat an vielen Orten Deutschlands seine Spuren hinterlassen. Die wohl schönsten Werke des genialen Baumeisters stehen in Würzburg, beispielsweise die Hofkirche, die er harmonisch in den Südflügel der Residenz einfügte und mit Stuckarbeiten, Malereien und Standbildern ausschmücken ließ.*

▲ *Wie lang das Netz der markierten Wanderwege in Deutschland ist, weiß niemand genau. Aneinandergereiht würden die Pfade aber sicherlich bequem um den Erdball reichen.*

Sitz. Das alte Frankfurt mit dem gotischen Dom, Krönungskirche deutscher Kaiser und Könige, der Paulskirche, in der 1848/49 die deutsche Nationalversammlung tagte, dem Goethe-Haus, in dem der Dichterfürst am 28. August 1749 das Licht der Welt erblickte, verliert sich fast in der modernen Großstadt, ist kaum mehr als historische Staffage.

Jenseits des Mains liegt nicht nur das *Äbbelwoi*viertel Sachsenhausen, in dem wenige Einheimische und viele Touristen in den Kneipen das herb-säuerlich schmeckende Frankfurter Nationalgetränk genießen, südlich des Mains beginnt in der volkstümlichen Geographie auch Süddeutschland. Das Klima läßt den sonnigen Süden schon erahnen, wenigstens entlang der Bergstraße, der alten Römerstraße am Fuß des Odenwalds zwischen Darmstadt und Heidelberg. Hier gedeihen Mandelbäume, Feigen, Eßkastanien, blühen die Obstbäume im Frühjahr um einige Wochen früher als auf den benachbarten Höhen des Odenwalds. In der beinahe mediterranen Kulturlandschaft der Bergstraße fühlten sich schon die Römer heimisch; die dichten Urwälder, die damals noch den Odenwald bedeckten, waren ihnen hingegen nicht geheuer. Einige Jahrhunderte später war das Gebirge Schauplatz der Nibelungensage, bezwang doch der junge Siegfried dort den schrecklichen Drachen, um dann selbst vom finsteren Hagen hinterrücks durchbohrt zu werden. Der Spessart, eines der größten geschlossenen Waldgebiete Deutschlands, war noch bis ins vorige Jahrhundert hinein durch seine „Mordsgeschich-

ten" nicht nur berühmt, sondern berüchtigt. Wo jetzt am Wochenende Ausflügler auf markierten Wanderwegen durch die schönen Buchen- und Eichenwälder streifen, trieben früher Räuberbanden ihr Unwesen. Der letzte Spessarträuber endete 1812 in Heidelberg am Galgen.

Hunderttausende von Touristen strömen alljährlich in die vielbesungene Universitätsstadt und alte Hauptstadt der Kurpfalz. Zwischen Bergen und Neckar eingezwängt liegt die malerische Heidelberger Altstadt, überragt von der weit über die Landesgrenzen hinaus bekannten Schloßruine. Mühsam ist der Weg hinauf zu dem edelsten Beispiel deutscher Renaissancearchitektur. Er führt durch die engen Gassen des alten Stadtkerns, über den Burgweg hinauf auf eine Höhe von 195 m; bequemen Zeitgenossen bietet sich die Möglichkeit, auf eine Standseilbahn auszuweichen.

Ende des 17. Jh. wurde die glanzvolle kurfürstliche Residenz von den Franzosen niedergebrannt. So war das Schloß schon eine – allerdings sehr eindrucksvolle – Ruine, als Heidelberg 1803 an Baden fiel. Die weitläufige Anlage des Schloßgartens hoch über der Altstadt umschließt einige der schönsten Bauten der deutschen Renaissance, wie beispielsweise den 1601–1607 aus rotem Buntsandstein errichteten Friedrichsbau. Er lag schon in Trümmern, als man um 1750 aus 130 Eichenstämmen das große Heidelberger Faß zimmerte. Über 200 000 l Wein konnten in dem Riesenfaß gelagert werden, alt wurde er darin jedoch nicht, denn der Durst der Hofgesellschaft war kaum zu löschen.

► *Die Alte Mainbrücke führt schon seit 450 Jahren von der Festung Marienberg, der Residenz der Würzburger Fürstbischöfe, hinüber in die vieltürmige Altstadt: rechts der Rathausturm des „Grafeneckart" und die imposante Kuppel des Neumünsters, links der schlanke Turm der gotischen Marienkapelle.*

▲ *Rothenburg ob der Tauber: Wie ein Denkmal des Mittelalters thront die alte fränkische Reichsstadt hoch über der Tauber. Das seit dem Dreißigjährigen Krieg fast unveränderte Stadtbild ist von unvergleichlichem Reiz.*

Wenige Kilometer flußabwärts an der Einmündung des Neckars in den Rhein hat sich das romantische Flair Heidelbergs längst verflüchtigt. Hier in der Doppelstadt Mannheim/Ludwigshafen herrscht wieder die betriebsame und nüchterne Atmosphäre der Industriestädte vor, und die großen Tanks am Hafen bergen keinen Wein, sondern Mineralöl, Schwefelsäure und andere Chemikalien. Ludwigshafen, links des Rheins gelegen, ist neben Leverkusen und dem Frankfurter Stadtteil Höchst eine der drei Hochburgen der deutschen Chemie-Industrie im Flußgebiet des Rheins. Das rechtsrheinische Mannheim begann seine Karriere als Festungsstadt, die mehrmals in Schutt und Asche gelegt wurde. Als sie Ende des 17. Jh. wieder einmal aufgebaut werden mußte, entschied sich der Kurfürst für den von einem niederländischen Stadtplaner vorgeschlagenen Schachbrettgrundriß. Obwohl das regelmäßige Raster, in dem die einzelnen Häuserblocks nicht mit Namen, sondern streng systematisch mit Buchstaben und Ziffern bezeichnet sind, deutschem Ordnungssinn sehr entgegenkommt, ist es in Deutschland nur dieses eine Mal verwirklicht wor-

▲ *Der Markusturm mit dem Röderbogen ist ein Teil des inneren Mauerrings, den die Bürger Rothenburgs im 12. Jh. zum Schutz ihrer Stadt errichteten. Später bauten sie einen zweiten, äußeren Ring, der auch die Vorstädte mit einschloß; er blieb nahezu unversehrt erhalten.*

den. Der Kern der großen Städte links des Rheins, vom „goldenen Mainz" im Norden über die Domstädte Worms und Speyer bis hin zur Industrie- und Landeshauptstadt Saarbrücken, begegnet dem Besucher deshalb durchweg altdeutsch verwinkelt.

Rechts des Rheins, im Badischen und Württembergischen, neigten die Landesherren dagegen schon immer zur Übersichtlichkeit. In Karlsruhe, 1715 nach dem Vorbild von Versailles als neue großherzoglich badi-sche Residenz gegründet, gehen vom achteckigen Turm des Barockschlosses strahlenförmig 22 Alleen aus. Freiburg, die Stadt der Gotik, des Waldes und des Weins, wurde im Jahr 1120 von den Zähringerherzögen Berthold III. und Konrad gegründet. Charakteristisch für die von diesem Adelsgeschlecht aus der Taufe gehobenen Städte sind zwei breite, sich kreuzende Marktstraßen, das sogenannte „Zähringer Achsenkreuz". Freiburg, schönste dieser Gründungen und als Universitätsstadt heute ebenso beliebt wie Heidelberg, liegt in einer Bucht der Oberrheinebene, die sich als Zipfel ein Stück weit in den Schwarzwald hineinzieht. In dem typisch zähringischen Oval der Altstadt am Fuß des Schloßbergs drängen sich die Kirchen, Adelspaläste und Bürgerhäuser um das Wahrzeichen der Stadt, das gotische Münster mit dem filigranen Steinhelm, dem reichen Skulpturenschmuck und den mittelalterlichen Glasfenstern.

Am Rand der Freiburger Bucht ragt der Kaiserstuhl, eines der merkwürdigsten Gebirge Deutschlands, rund 300 m aus der Ebene. Dicke Lößschichten verhüllen die bis auf die Fundamente erodierte Vulkanruine und bilden – 20 Mio. Jahre, nachdem die Lava erstarrt ist – den Nährboden für Weinreben, deren Früchte zu Spätburgunder verarbeitet werden. Der feurige Charakter der Weine vom Kaiserstuhl hat indes nichts mit vulkanischer Glut, sondern ausschließlich mit dem für deutsche Verhältnisse ungewöhnlich milden Klima zu tun. Auf den Lößterrassen am Kaiserstuhl werden die höchsten Bodentemperaturen deutscher Weinberge, zum Teil 60–70°C, gemessen. Die Luft erhitzt sich zwar nicht so stark wie der Erdboden an den Sonnenhängen, jedoch nimmt das südliche Baden mit Jahresdurchschnittstemperaturen zwischen 10 und 11°C den Spitzenplatz in Deutschland ein. Bei der Sonnenscheindauer muß sich das Land am Oberrhein dagegen mit einem Platz im Mittelfeld zufriedengeben; die Ostseeinsel Fehmarn hält hier mit einem Jahresdurchschnitt von 1923 Sonnenstunden den Rekord und widerlegt damit eindeutig das Klischee vom norddeutschen „Schmuddelwetter".

In Stufen steigt das Gelände von der Ebene zu den Randgebirgen an. Die unteren sind noch mit Reben und Obstbäumen bedeckt, zur Höhe hin setzen sich allmählich dann die dunklen Fichten- und Tannenwälder durch, die den Namen des Schwarzwalds geprägt haben. In dem langgestreckten Waldgebirge, das in dem 1493 m hohen Feldberg, übrigens dem höchsten Berg der deutschen Mittelgebirge, gipfelt, herrscht ein wesentlich rauheres Klima. Die solide Konstruktion der alten Schwarzwaldhäuser läßt die Schneelasten ahnen, die sich im Winter auf den tief herabgezogenen Dächern auftürmen.

Wie die meisten deutschen Mittelgebirge war der Schwarzwald bis ins hohe Mittelalter hinein weitgehend unbesiedelt. Erst mit dem Beginn des Bergbaus wurden große Flächen der Bergwälder gerodet. Als im 17./18. Jh. die Erzlager langsam zur Neige gingen, mußten sich die Schwarzwälder nach anderen Erwerbsquellen umsehen, und sie machten aus der Not eine Tugend. Die Region hat sich seit damals zu einer Hochburg der Uhrmacherei, der Feinmechanik und Schmuckherstellung entwickelt. Am nördlichen Rand des baden-württembergischen Mittelgebirges liegt Pforzheim, das führende Zentrum der deutschen Gold- und Schmuckwarenindustrie, und die als Souvenirs so beliebten Schwarzwälder Kuckucksuhren werden in Furtwangen oder Villingen-Schwenningen (teilweise auch schon in Fernost) hergestellt.

Touristen und Studenten
Es schwäbelt überall

Von den Höhen im Südschwarzwald reicht der Blick bei klarem Wetter bis zu vergletscherten Alpengipfeln, besonders im Herbst und Winter, wenn sich wärmere Luftschichten über den Nebel und Smog in den Niederungen legen. Wie ein hellgraues Meer füllt der Nebel dann die breite Senke zwischen dem Schwarzwald und den Alpen, verhüllt das Schweizer Mittelland und das schwäbisch-bayerische Alpenvorland in milchigen Schleiern.

Majestätisch erstreckt sich die weite Wasserfläche des „Schwäbischen Meers" vor dem nördlichen Alpenrand. Das 538 km² große blaugrüne Gewässer wird von den angrenzenden Ländern Schweiz, Österreich und Deutschland landesneutral Bodensee genannt. Eine stillschweigende Übereinkunft herrscht zwischen den Anrainern des drittgrößten Sees in Mitteleuropa und des größten in Deutschland über den Verlauf ihrer Grenzen im See. Wenn es nach dem „Verursacherprinzip" ginge, müßte der in ein großes und zwei kleinere Becken gegliederte See eigentlich „Schweizer Meer" heißen, denn aus den Schweizer Alpen schob sich im Eiszeitalter der Rheingletscher in das hügelige Alpenvorland und furchte mit seiner eisigen Zunge ein mehrere hundert Meter tiefes Becken aus, das vom Rhein und mehreren kleineren Zuflüssen in der Nacheiszeit mit Wasser gefüllt wurde. Jedoch wird der Rhein den See in absehbarer Zeit auch wieder von der Landkarte verschwinden lassen; in 20000–25000 Jahren dürfte er mit seinen Schlamm- und Geröllmassen das Seebecken vollständig aufgefüllt haben. Bis dahin bleibt jedoch noch ein wenig Zeit, um das kleine „Meer" mit seinen malerischen Uferlandschaften zu genießen; die Blumeninsel Mainau, das weinbekannte Städtchen Meersburg oder die Inselstadt Lindau, bayerischer Vorposten im „Schwäbischen Meer", sind dafür nur wenige Beispiele.

Die erfinderischen Schwaben nutzen „ihren" See bereits seit Jahrzehnten als Trinkwasserreservoir. In Mitteleuropa, wo die Kläranlagen die anfallenden Abwassermengen kaum noch reinigen können und die Bauern ihre Felder mit Strömen von Gülle

und Chemikalien überschwemmen, hat das Wasser in den Flüssen und Seen nur noch ausnahmsweise Trinkwasserqualität. Große Investitionen und Mühen ermöglichten es, den Bodensee als Trinkwasserreservoir zu erhalten. Er versorgt unter anderem das Industrie- und Ballungsgebiet am mittleren Neckar, dessen enormer Wasserbedarf aus dem Grundwasser allein schon lange nicht mehr zu decken ist.

220 km weit erstreckt sich die Schwäbische Alb vom Rhein bis zur alten Reichsstadt Nördlingen; sie ist ein Lehrbuchbeispiel eines Schichtstufengebirges. Seine obersten Lagen bestehen aus hartem, aber leicht löslichem Kalkstein, in dem das Regenwasser die Gesteinsklüfte zu Spalten erweitert und restlos im Untergrund verschwindet. Im Nordwesten brechen diese Gesteinsschichten am einige hundert Meter hohen Albtrauf steil zum Vorland ab, in dem der Neckar und seine Zuflüsse weitere harte Gesteinsbänke aus den weicheren Schichten freigelegt haben. Der fast 400 km lange Fluß ist nicht nur ein Nebenfluß des Rheins, er hat auch viel mit dem großen Strom gemeinsam; mit seinen engen Schleifen, den steilen, von Wäldern und Weinbergen eingenommenen Hängen, den malerischen Städten am Ufer und den trutzigen Burgen auf den benachbarten Höhen ist seine Ähnlichkeit mit dem Mittelrhein nicht zu leugnen. Kein Wunder, daß sich die Geistesgrößen gegenseitig mit Hymnen auf den „schwäbischen Strom" überboten.

Für viele war die Universitätsstadt Tübingen Wahlheimat, etwa für Friedrich Hölderlin, dessen ehemalige Wohnung in einem Turm am Neckar heute eine Ausstellung mit wichtigen Werken von Philosophen und Dichtern Deutschlands enthält. Die Werke Friedrich Schillers, der flußabwärts in Marbach am Neckar geboren wurde, dürfen in einer solchen Sammlung natürlich nicht fehlen. Den Geburtsort des Dichters passiert der Fluß inzwischen als Großschiffahrtsstraße in einem kanalisierten Bett mit 27 Staustufen. An seinem linken Ufer liegt Ludwigsburg, das Herzog Eberhard Ludwig von Württemberg den Namen und eines der schönsten Barockschlösser in Deutschland

▶ *Das Wörnitztor ist das älteste Stadttor der einstigen Reichsstadt Dinkelsbühl (13. Jh.). Es ist mit dem Stadtwappen geschmückt, das drei goldene Ähren zeigt. Sie sollen die Herkunft des Stadtnamens erklären, vom Dinkel nämlich, einer vor allem in Schwaben angebauten, auch „Schwabenkorn" genannten Weizenart.*

◀ *Nürnberg: Von der Museumsbrücke schaut man auf das Heilig-Geist-Spital, das von 1332 bis 1339 auf zwei Bögen über einem Seitenarm der Pegnitz errichtet wurde.*

verdankt. Das „schwäbische Versailles" war jedoch nur für wenige Jahrzehnte herzogliche Residenz, dann zog es die Adeligen wieder zurück in die alte Landeshauptstadt Stuttgart; wohl nicht allein aus reiner Liebe zu der in einem Talkessel gelegenen, von Wäldern, Obstgärten und Weinbergen umrahmten Stadt, sondern weil die geschäftige Metropole das verschwenderische Hofleben finanzieren konnte. Schwäbischer Erfindungsreichtum und Geschäftssinn prägen bis heute das Bild Stuttgarts, die Dichter und Denker hält man hier in Ehren, genauso aber Erfinder und Unternehmer wie Gottlieb Daimler oder Robert Bosch, die mit ihrer Arbeit das mittlere Neckartal zur führenden Industrieregion im Südwesten Deutschlands werden ließen.

Das weiß-blaue Land
Mit Siebenmeilenstiefeln durch Bayern

Die Geographie Süddeutschlands ist für Außenstehende nicht leicht zu durchschauen. Feriengäste aus Norddeutschland begehen immer wieder den für Schwaben unverzeihlichen Fauxpas, ganz Baden-Württemberg zum Schwabenland zu rechnen, wo man doch zwischen dem Odenwald und dem Hochrhein auf Eigenständigkeit größten Wert legt und die Menschheit kurzerhand in „Badische und Unsymbadische" einteilt. Im Freistaat Bayern wird ebenso säuberlich zwischen den Bayern im südöstlichen Landesteil, den Franken im Maingebiet und den Schwaben westlich des Lechs unterschieden. Die natürlichen Grenzen sind oft unscharf und fließend, z. B. an der Hauptwasserscheide zwischen den Stromgebieten des

Rheins und der Donau. Dort dringt der junge, dynamische Rhein an manchen Stellen unterirdisch in das Reich der behäbigen Donau ein und zapft ihr das Wasser ab. Wahrscheinlich wäre auch der Grenzverlauf zwischen der Schwäbischen Alb und der Fränkischen Alb noch umstritten, wenn nicht vor 15 Mio. Jahren ein großer Meteorit mit einer Geschwindigkeit von mindestens 72 000 km/h beim heutigen Nördlingen einen tiefen Krater, das Nördlinger Ries, in die Erdkruste geschlagen hätte, der für die Schwäbische Alb einen markanten Schlußpunkt bildet.

An der Romantischen Straße, die den unsichtbaren Grenzen der Stammesgebiete zwischen dem Alpenrand und dem Main auf weiten Strecken folgt, scheint die Zeit seit dem Mittelalter stehengeblieben zu sein. Sie führt durch verwinkelte Fachwerkstädtchen und hübsche Weindörfer, zu Schlössern und Kapellen. Kreisrund präsentiert sich die alte Reichsstadt Nördlingen aus der Vogelperspektive. Wer will, kann in einer knappen Stunde den Stadtkern auf dem vollständig erhaltenen mittelalterlichen Mauergürtel umwandern und von erhöhter Warte aus die St.-Georgs-Kirche, das spätgotische Rathaus und die stattlichen Bürgerhäuser bewundern. Mittelalterliches Szenarium auch in Dinkelsbühl: Die Stadtmauer aus dem 14./15. Jh. und die alten Giebelhäuser bieten ein homogenes Gesamtbild dieser längst vergangenen Zeit. Zu Bayern gehört die Stadt seit Anfang des 19. Jh. Wie gut es sich mit (und vom) architektonischen Erbe früherer Generationen leben läßt, zeigt am besten Rothenburg ob der Tauber, eine mittelalterliche Stadt wie aus dem Bilderbuch. Herausragendes architektonisches Baudenkmal ist das prachtvolle Rathaus mit seinem goti-

▲ *Seine flandrischen Vorbilder kann das 1909 fertiggestellte Neue Rathaus der bayerischen Landeshauptstadt München nicht verleugnen. Der 85 m hohe Rathausturm besitzt als Attraktion ein Glocken- und Figurenspiel, das täglich um 11 Uhr den Passanten auf dem Marienplatz großes Vergnügen bereitet.*

schen Turm; nicht weniger lohnenswert ist eine Besichtigung des berühmten Schnitzaltars von Tilman Riemenschneider im Westchor der Kirche St. Jakob.

Werke des in Thüringen geborenen Bildhauers schmücken auch den Dom zu Würzburg, den geistlichen Mittelpunkt Frankens. Die Fürstbischöfe, die in der Stadt am Main residierten, waren in manchen Jahrhunderten von einer wahren Bauwut besessen, besonders im 17./18. Jh., als nach den Plänen von Balthasar Neumann (1687–1753) die Residenz mit Hofkirche und Hofgarten erbaut und von den führenden Künstlern jener Zeit mit allem, was gut und teuer war, ausgeschmückt wurde.

Der Main, der sich in weiten Schlingen vom Fichtelgebirge zur Rhein-Main-Ebene windet, hat im Norden der Republik den Spitznamen „Weißwurstäquator" erhalten.

◄ *Ein Schloß wie aus dem Bilderbuch: Schloß Harburg bei Donauwörth im Durchbruchstal der Wörnitz durch die Schwäbische Alb. Seine Anfänge reichen bis in das 12. Jh. zurück, Ende des 13. Jh. kam die Ritterburg in den Besitz der Grafen von Oettingen. Die gräflichen Kunstsammlungen, u. a. mit Werken der Bildhauer Tilman Riemenschneider (1460–1531) und Veit Stoß (um 1448–1533), sind heute im Palast untergebracht.*

▲ *Als Kurfürst Ferdinand Maria den Grundstein für die Sommerresidenz der Wittelsbacher legte, dachte er nur an eine bescheidene Villa in den einsamen Wäldern zwischen Isar und Würm. Doch seine Nachfolger ließen 1664–1728 mit Schloß Nymphenburg eine der bedeutendsten barocken Schloßanlagen Deutschlands errichten; sie liegt heute im nordwestlichen Stadtgebiet von München.*

Er bildet die natürliche Grenze zwischen Bayern und dem restlichen Deutschland. Nur ahnungslose Norddeutsche können auf einen solchen Namen kommen, denn das hügelige Land beiderseits des Mains ist urfränkisches Territorium, auch wenn die weißblauen Farben der bayerischen Wittelsbacher den Reisenden aus dem Norden schon auf den Grenzschildern in der Rhön begrüßen. Der Appetit der Würzburger auf bayerische Spezialitäten wie Weißwürste und Bier hält sich ebenfalls in Grenzen, statt der blassen, weichen Brühwürste aus passiertem Kalbfleisch genießen sie lieber knusprig gebratenen Mainfisch und herben Frankenwein, der hier in die bauchigen Bocksbeutel abgefüllt wird.

Flußaufwärts machen die Weinberge zusehends Gerstenfeldern Platz, und bereits Bamberg wird vom Bier dominiert. Früher soll es in der Bischofsstadt an der Regnitz mehr Brauereien als Kirchtürme gegeben haben – kaum zu glauben bei der Vielzahl von Kirchtürmen, die über die Dächer der Altstadt ragen. Der Dom St. Peter und Georg wird allein schon von vier Türmen gekrönt, Kronen einer Kathedrale, die mit Meisterwerken mittelalterlicher Plastik wie dem „Bamberger Reiter" und den Reliefgestalten von Aposteln und Propheten geschmückt sind. In einem Marmorgrab im Westchor wurde Papst Clemens II. als einziger Papst in Deutschland bestattet.

Die oberfränkische Kreisstadt Coburg war dagegen im vorigen Jahrhundert die Wiege zahlreicher gekrönter Häupter. Als Feldherren konnten sich die Herzöge von Sachsen-Coburg keinen besonderen Namen machen, um so besser verstanden sie es jedoch, familiäre Bande mit nahezu allen europäischen Dynastien zu knüpfen. Ob man nun in den Ahnentafeln des englischen, dänischen, belgischen, spanischen oder schwedischen Königshauses forscht, fast immer findet sich

▶ *Mit dem Hofbräuhaus und dem Oktoberfest besitzt München gleich zwei Institutionen, die im Weltbild der Bierfreunde fest verankert sind. Beim Oktoberfest rinnen alljährlich rund 5 Mio. l Bier durch die durstigen Kehlen.*

ein Urahn aus der „heimlichen Hauptstadt Europas". Die Veste Coburg oberhalb von Bayreuth, eine der größten Burgen Deutschlands, würde sich hervorragend als Kulisse einer Wagneroper eignen, doch finden die Richard-Wagner-Festspiele alljährlich in der ehemaligen Markgrafenresidenz Bayreuth statt. Schon seit mehr als 100 Jahren strömen alljährlich im Juli/August Zehntausende von „Wagnerianern" zum Festspielhaus auf dem Grünen Hügel, um Aufführungen von Werken ihres Idols beizuwohnen.

Als Richard Wagner 1872 den Grundstein des Festspielhauses in Bayreuth legte, wollte

▲ *Nahezu jedes europäische Land hat sein eigenes „Versailles", das bayerische steht auf der Insel Herrenchiemsee im größten See Bayerns. König Ludwig II., ein Verehrer des französischen Sonnenkönigs, ließ den verschwenderisch ausgestatteten Prunkbau 1878–1885 errichten.*

er in der kleinen oberfränkischen Residenzstadt ein Nationaltheater schaffen, in dem sich die Zuschauer dem Kunstgenuß hingeben konnten, ohne von anderen gesellschaftlichen Attraktionen abgelenkt zu werden. Dieses Ideal geriet jedoch schnell in Vergessenheit. Heute sind die Festspiele sowohl ein gesellschaftliches als auch ein kulturelles Ereignis. Inzwischen mengen sich bei den Aufführungen hier und da schon ein paar Jeans und T-Shirts unter die großen Abendroben, und manch einer der Festspielgäste tauscht tagsüber den dunklen Anzug gegen Anorak und Kniebundhose ein, um im benachbarten Fichtelgebirge zu wandern; die Zeiten ändern sich. Eine Wanderung durch das Mittelgebirge der Oberpfalz ist ein weiterer Ausflug zurück in die Erdgeschichte, denn hier am Vierländereck von Thüringen, Sachsen, Bayern und Böhmen treten die wohl ältesten Gesteine Mitteleuropas zutage: körnige Granite, die zu bizarren Felsburgen verwittern, und Porzellanerde, Grundlage einer bedeutenden Porzellanherstellung, dunkle, von rotem Granat durchsetzte Gneise, graue Schiefer. Seit einigen Jahren fressen sich in der Nähe des Ortes Windischeschenbach Bohrmeißel in das Urgestein, mindestens 10 km tief wollen die Geologen bei der Tiefbohrung in die Erdkruste vordringen; ein Versuch, die geologische Geschichte Mitteleuropas zu entschleiern. Südwestlich von Bayreuth, in der Fränkischen Schweiz, ist eine Expedition ins Erdinnere weniger zeitraubend und kostspielig. Die Natur hat dort wertvolle Vorarbeit geleistet und zahlreiche Höhlen aus den Juraschichten gespült. Insgesamt sind 3000 Höhlen bekannt – ein steinerner

Schweizer Käse, so wie es der Name des Gebirges verspricht.

Die ehemalige Freie Reichsstadt Nürnberg am Rand der Fränkischen Schweiz hat sich nicht mit löchrigem Käse, sondern mit würzigen Bratwürsten und süßen Lebkuchen unter Feinschmeckern einen Namen gemacht. Auch begann man in der zweitgrößten Stadt Bayerns bereits im Mittelalter Spielzeug herzustellen; heute findet in den Mauern der Frankenmetropole die führende Spielwarenmesse der Welt statt. Leider ist sie nicht für die Öffentlichkeit zugänglich, das Fachpublikum bleibt unter sich. Fünf Minuten vom Dürerhaus entfernt, das an das Leben und Werk des berühmtesten Nürnberger Malers Albrecht Dürer erinnert, steht die Kaiserburg, das Wahrzeichen der Stadt, in der seit 1356 jeder neugewählte deutsche König oder Kaiser seinen ersten Reichstag abzuhalten hatte. Diese Tradition wurde im Jahr 1933 von Hitler begierig aufgegriffen; Nürnberg sollte fortan Schauplatz der Reichsparteitage sein. Doch bevor die gigantischen Aufmarschplätze und Kongreßhallen vollendet waren, zerfiel das „Tausendjährige Reich" schon wieder.

Seit 1972 besitzt Nürnberg einen Hafen am Europakanal, mit dem sich die Wasserstraßenbauer, ohne Kosten und Umweltschäden zu scheuen, einen langgehegten Traum erfüllten: eine Wasserstraße vom Main über die europäische Hauptwasserscheide hinweg zur Donau. Ob sich das Milliardenprojekt jemals auszahlen wird, ist jedoch zu bezweifeln. Eine „Donauschiene" wird sich in absehbarer Zeit an dem Strom zwischen seiner Quelle am Ostrand des Schwarzwalds und der deutsch-österreichischen Grenze bei Passau nicht entwickeln, trotz gezielter Ansiedlung von Industrie, die an manchen Orten, wie in Ingolstadt, bescheidene Früchte getragen hat. In den großen Donaustädten von Ulm über Regensburg bis hinunter nach Passau bestimmen noch immer Kirchtürme und nicht Schornsteine von Fabriken und Kraftwerken das Stadtbild. Die bayerisch-württembergische Grenzstadt Ulm kann sich sogar mit dem höchsten Kirchturm der Welt (161,5 m) rühmen, in Regensburg singen die Spatzen von den Türmen des gotischen Doms St. Peter, sonntags beim Hochamt hört man die Regensburger Domspatzen, den bekannten Knabenchor, im Dom, und in Passau überragen die fast 70 m hohen Kuppeltürme der größten Barockkirche nördlich der Alpen die schmale Landzunge zwischen Donau und Inn.

Die Donau ist Süddeutschlands „Urstrom", ein Strom, der im Eiszeitalter die Schmelzwassermassen der Alpengletscher aufnahm und sie fast 3000 km weit ins Schwarze Meer leitete. Ihr fließen auch

▲ *Ottobeuren: Im Jahr 764 wurde die Benediktinerabtei gegründet, im 18. Jh. entstand der barocke Neubau der Abteikirche, die allein von den Dimensionen her so manche Kathedrale in den Schatten stellt. Hinter der majestätischen Fassade mit den 82 m hohen Türmen entfaltet sich die ganze Pracht des barocken Bauschmucks.*

heute noch viele Flüsse aus dem Alpenvorland und wenige aus den Mittelgebirgen im Norden zu: „Iller, Lech, Isar, Inn ..." Das hügelige Land zwischen dem Bodensee im Westen und dem Inn im Osten mit seinen Moränenhügeln, Seen, Mooren, sumpfigen Niederungen und lößbedeckten Schotterplatten wurde von mehreren großen Vereisungen geformt. Der oberschwäbische Westen ist vorwiegend grünes, saftiges Hügelland, das die Butterberge und Milchseen ins Uferlose wachsen läßt, im niederbayerischen Osten hält die Produktion von Hopfen und Malz dagegen kaum mit dem Durst der einheimischen und ausländischen Biertrinker Schritt. Das gesamte Alpenvorland ist altes Bauernland, nur wenigen Städten gelang der Sprung über die Schwelle, die in Deutschland die Großstädte von den Klein- und Mittelstädten trennt. Im Oberschwäbischen blickt Augsburg auf zwei Jahrtausende städtischer Kultur zurück. Hier kreuzt sich die alte Handelsstraße von Oberitalien zur Donau mit der Straße, die vom Bodensee zum Inn führt. Ein solcher Verkehrsknotenpunkt mußte sich beinahe zwangsläufig zur blühenden Handelsmetropole entwickeln. Die Geschichte der Stadt am Lech wurde deshalb im Mittelalter auch hauptsächlich von steinreichen Kaufmannsfamilien wie den Fuggern geschrieben, die der Nachwelt neben mehreren Palästen und Kirchen mit der Augsburger Fuggerei auch die älteste Sozialsiedlung der Welt hinterließen. Für eine Jahresmiete von 1,72 DM finden verarmte Bürger in ihr heute noch ein Heim.

▲ *Die Ammergauer Alpen bilden den würdigen Rahmen für das im französischen Rokokostil errichtete Schloß Linderhof westlich von Ettal; Georg von Dollmann (1830–1895) erbaute es nach dem Vorbild des Pavillons Petit Trianon in Versailles für den Bayernkönig Ludwig II. Besonders schön sind die Gartenanlagen, die nahtlos in die Naturlandschaft übergehen.*

Beim Vergleich mit dem altehrwürdigen Augsburg wirkt die bayerische Landeshauptstadt München wie ein Teenager, der unbekümmert die schönen Seiten des Lebens genießt. Dazu bietet die im 12. Jh. als Zollstation gegründete „Weltstadt mit Herz" oder das „Millionendorf" an der graugrünen Isar reichlich Gelegenheit: Kunstgenüsse jeder Art, die vielseitigste Gaststättenkultur zwischen Nordsee und Alpen, einen Englischen Garten, der den Hydepark in London übertrifft, und natürlich die Feste, vom Fasching, wie der Karneval hier heißt, bis zum Oktoberfest, bei dem die Münchner inzwischen allerdings die Festzelte auf der Theresienwiese mit mehreren Millionen Touristen teilen müssen.

Seit den Olympischen Sommerspielen im Jahr 1972 versteht sich die „Weißwurstmetropole" als die „heimliche Hauptstadt Deutschlands". Das Zeltdach, welches die Sport- und die Schwimmhalle sowie das 80 000 Zuschauer fassende Olympiastadion überspannt, setzte weit über die Landesgrenzen hinaus neue architektonische Maßstäbe. Mit seinen 290 m zählt der Olympiaturm zu den höchsten Stahlbetonkonstruktionen der Welt.

Pulsierendes Herz des alten Münchens ist der belebte Marienplatz. Täglich zur selben Uhrzeit stehen vor dem neugotischen Neuen Rathaus (1867–1908 erbaut) unzählige Menschen, die gebannt ihr Antlitz gen Himmel

recken. Sie alle warten voller Spannung auf das berühmte Glockenspiel der Kunstuhr an dem 80 m hohen Turm. 32 annähernd lebensgroße Figuren veranstalten hier seit Jahr und Tag unermüdlich ein Ritterturnier und den traditionellen Zunfttanz der Münchner Faßbinder.

Mancher zieht sich Mitte September bis Anfang Oktober lieber in einen der zahlreichen Biergärten zurück und genießt – wenn das Wetter mitspielt – unter dem weißblauen bayerischen Himmel eine deftige Münchner Brotzeit, bei der Weißwürste mit süßem Senf, Leberkäse und vielleicht auch ein *Radi* (Rettich) nicht fehlen dürfen.

Wenn in Meinungsumfragen ermittelt wird, in welcher Stadt die Deutschen am liebsten leben möchten, dann schneidet München meist als haushoher Sieger ab. Die Attraktivität der bayerischen Metropole hat gewiß nicht nur mit der Stadt allein, sondern mindestens ebensoviel mit ihrer Lage zu tun. Das beliebteste deutsche Urlaubsgebiet, die Bayerischen Alpen, liegen in Sichtweite, wenigstens bei Föhnwetter, das wetterempfindlichen Münchnern die Freude an ihrer Stadt

◀ *Der Maler Franz Zwink (1748–1792) hat in seiner bayerischen Heimatstadt Oberammergau zahlreiche alte Häuser mit Fresken geschmückt. Diese phantasievollen Kunstwerke nennt man „Lüftlmalereien".*

▲ *So mancher Bayer oder Schwabe steckt sich zu festlichen Anlässen die gute, reichbemalte Tabakspfeife in den Mund und setzt sich den Lodenhut mit Gamsbart auf.*

ein wenig trüb. Wie eine gewaltige Mauer steigen die nördlichsten Ketten der Alpen aus dem Vorland auf, von tiefen Tälern zerfurcht, an deren Ausgang die Eiszeitgletscher eine Kette von Seen hinterließen. Mit Gipfelhöhen unter 3000 m nehmen sich die deutschen Alpen gegenüber den vergletscherten Hauptkämmen des mitteleuropäischen Hochgebirges zwar bescheiden aus, doch die fehlenden Höhenmeter machen sie durch wildzerklüftete Landschaftsformen wett, etwa in den Berchtesgadener Alpen, wo der Watzmann mit nackten, fast senkrechten Felswänden über 2000 m hoch von den Ufern des Königssees aufsteigt.

Die Zugspitze am Rand des Wettersteingebirges ist mit 2962 m Deutschlands höchster Berg. In den letzten Jahrzehnten riß der Touristenstrom zu dem beliebten Ausflugsziel nicht ab. Seit den 20er Jahren werden immer mehr Seilbahnen und Gaststätten gebaut, um den Urlaubern alle nur möglichen Annehmlichkeiten zu bieten. An schönen Tagen muß man heutzutage Schlange stehen am vergoldeten Eisenkreuz des Ostgipfels. Von unberührter Natur kann also keine Rede mehr sein.

▶ *St. Bartholomä am Westufer des Königssees, eine kleine pittoreske Wallfahrtskirche, gehört zu den beliebtesten Ausflugszielen im Berchtesgadener Land. Hinter dem Kirchlein mit den typischen Zwiebeltürmen steigt die berühmt-berüchtigte Ostwand des Watzmannmassivs beinahe senkrecht auf – schon vielen Bergsteigern ist sie zum Verhängnis geworden.*

▶▶ *Schloß Neuschwanstein bei Füssen, das Traumschloß König Ludwigs II. von Bayern, wurde in neuromanischem Stil von 1868 bis 1886 nach Plänen des Theatermalers Jank von Baumeister Riedel errichtet.*

▲ *Inmitten saftiger Almwiesen liegt das kleine Bergdorf Schröcken in Vorarlberg, umgeben von zahlreichen Bauernhöfen.*

Österreich

*Kontrastreiche Landschaften, eine aus vielen Quellen gespeiste Kultur und die Zeugnisse
einer Geschichte als einstige europäische Großmacht prägen das Bild der Alpenrepublik.
Konsequenter Friedenspolitik verpflichtet, ist sie heute Mittler zwischen Ost und West.*

RUND 600 km weit erstreckt sich das Land von Ost nach West, in nord-südlicher Richtung mißt es dagegen maximal 260 km, auf etwa einem Drittel der Längsausdehnung sogar nur 60 km. Zur Jahrhundertwende umfaßte Österreich, damals noch Monarchie, die achtfache Fläche und zahlreiche Völker, die zu regieren allerdings ein schwieriges Unterfangen war. Im Lauf des Ersten Weltkriegs zerbrach das Riesenreich schließlich an den Konflikten, die in einem solchen Gemisch verschiedener

Sprachen und Kulturen nicht zu vermeiden sind. Bis auf eine kleine slowenische Minderheit im Süden Kärntens gehört die Bevölkerung des heutigen Österreichs zum deutschen Sprachraum, ethnische Konflikte spielen in der heutigen Zeit deshalb keine wesentliche Rolle mehr.

Dennoch haben die Völker des Kaiser- und Königreichs Österreich-Ungarn in vielerlei Hinsicht ihre Spuren hinterlassen, insbesondere in der Hauptstadt Wien; schlägt man das Telefonbuch auf, dann findet man

neben deutschen Namen auch ungarische, tschechische und italienische, um nur einige der wichtigsten zu nennen. Die österreichische Küche wurde ebenfalls von den Spezialitäten all der Länder beeinflußt, die ehemals zusammengehörten.

Das kleine Österreich ist heute ein neutraler Bundesstaat, der gleichwohl in Europa eine wichtige Rolle spielt; wenn die Staaten Osteuropas sich stärker an den Westen angliedern, rückt dieses Land wieder ins Zentrum Europas.

▲ *Die kleinen, robusten Haflinger gehören zum Bild Tirols. Sie wurden speziell für das Hochgebirge gezüchtet.*

▲ *An Puβtadörfer erinnern die Orte im Burgenland, das durch seine Grenzlage deutlich vom Nachbarland Ungarn geprägt wurde.*

Felix Austria
Eine wechselvolle Geschichte

Österreich hat im Lauf seiner 1000jährigen Geschichte mehrfach erfahren müssen, was es heißt, ein Grenzland zu sein. Im Jahr 996, als der Name „Ostarrichi" erstmals in Urkunden verzeichnet wurde, war die bayerische Ostmark an der Grenze zwischen den Alpen und dem Ungarischen Tiefland eine Bastion des Abendlandes gegen die Angriffe der Awaren, Magyaren und anderer Völker aus dem Osten.

Die Römer, die zu Beginn unserer Zeitrechnung mit ihren Legionen in das Gebiet des südlichen Österreich zwischen den Karawanken und der Donau einmarschiert waren und dort drei Provinzen (Noricum, Raetia und Pannonia) eingerichtet hatten, mußten sich im 5. Jh. während der Völkerwanderung unter dem Ansturm der Hunnen wieder nach Süden zurückziehen. Karl der Große gründete 788 die bayerische Ostmark als Teil eines Verteidigungsgürtels an der Ostgrenze des Fränkischen Reiches, die Otto I. im August 955 in der Schlacht auf dem Lechfeld bei Augsburg von den dort eingedrungenen Ungarn zurückgewann. Im Jahr 976 wurden die Babenberger Markgrafen der Ostmark; unter ihnen entstanden zahlreiche Burgen und geistliche Stifte, und die Stadt Wien gewann durch den Handel mit dem Orient an Bedeutung.

Vom 13. Jh. bis zum Ende des Ersten Weltkriegs war die Geschichte Österreichs untrennbar mit den Habsburgern verbunden. Das ursprünglich in der Schweiz und in Süddeutschland beheimatete Herrschergeschlecht verstand es, nach der Eroberung Österreichs durch den deutschen König

Rudolf I. von Habsburg (1218–1291), sein Reich in alle Himmelsrichtungen auszudehnen, weniger durch militärische Eroberungen als durch geschickt ausgehandelte Ehe- und Erbschaftsverträge. Im Ausland, wo man mehr auf den Krieg als Mittel der Politik setzte, hieß es deshalb neidvoll: „Tu felix Austria, nube" (Du glückliches Österreich, heirate). Die Habsburger trugen nicht nur von 1438 bis 1806 die deutsche Kaiserkrone, sondern wurden außerdem durch Erbfolge im Jahr 1491 die Herrscher von Böhmen und Ungarn.

Nach der Entdeckung der Neuen Welt erfaßte die Habsburger das Fernweh. Kaiser Maximilian I. (1459–1519) verheiratete seinen Sohn Philipp mit der Alleinerbin Spaniens, die als Mitgift die neuen spanischen Kolonien in Mittel- und Südamerika einbrachte. Karl V. herrschte schließlich über ein Weltreich, „in dem die Sonne niemals unterging".

In die Regierungszeit dieses Kaisers (1519–1556) fallen die ersten größeren Angriffe der Türken auf Österreich, 1529 belagerten osmanische Heere zum ersten Mal die Landeshauptstadt Wien. Der Kampf gegen die Türken sollte die beiden folgenden Jahrhunderte der österreichischen Geschichte bestimmen; zahlreiche europäische Herrscher sandten ihre Truppen, um das österreichische Kaiserreich zu unterstützen. Was in älteren Geschichtsbüchern als die heroische Verteidigung und Rettung des Abendlandes dargestellt wird, war jedoch vielmehr eine Auseinandersetzung um die Vorherrschaft zwischen Großmächten, aus der die Habsburger schließlich als Sieger hervorgingen. Ende des 17. Jh. übertrugen die Magyaren den Habsburgern die ungarische Krone, und gemeinsam gründeten sie die Doppelmonar-

chie – nach dem sie verbindenden Strom auch Donaumonarchie genannt. Sie erlebte ihre Blütezeit unter Kaiserin Maria Theresia (1717–1780), die während ihrer langen Regierungszeit der Doppelrolle einer Landesherrin und Mutter von 16 Kindern gerecht werden mußte. Sie herrschte über ein Land, das am Ende ihrer Regentschaft mit 610000 km^2 etwa siebenmal größer war als das heutige Österreich. Ihr Interesse galt nicht in erster Linie der Ausweitung des Reichs; sie setzte zahlreiche soziale Reformen durch und schuf einen modernen Beamtenstaat, außerdem förderte sie die Musik (Mozart, Haydn, Beethoven) und die Schauspielkunst.

Das Imperium, in dem die deutschstämmigen Österreicher zwar in der Minderheit waren, aber wesentlich über das Schicksal der Ungarn, Tschechen, Slowaken, Slowenen, Kroaten, Polen, Italiener und weiterer Völker bestimmten, geriet um die Mitte des 19. Jh. zunehmend unter den Druck nationaler Autonomiebestrebungen. Gleichzeitig wuchsen mit Preußen bzw. ab 1871 dem Deutschen Reich und Rußland zwei weitere starke Konkurrenten im Kreis der europäischen Großmächte heran. Die gespannte Situation entlud sich im Ersten Weltkrieg, der zum Ende der Habsburger Monarchie führte. Die in der Folge gebildete Republik umfaßte nur noch 12% des ehemaligen Staatsgebietes und 13% der Bevölkerung der Gesamtmonarchie. Wichtige Rohstoffquellen und Absatzmärkte gingen verloren, das Land geriet in eine schwere Wirtschaftskrise, die erst in den 50er und 60er Jahren endgültig überwunden werden sollte. Zwei Jahrzehnte nach der Gründung der ersten österreichischen Republik wurde das Land Opfer deutscher Großmacht: Am 13. März 1938 zwang Adolf Hitler Österreich zum Anschluß an das Deutsche Reich. Nicht lange danach, am 1. September 1939, begann der Zweite Weltkrieg.

Gemessen an den Gebietsverlusten nach dem Ersten Weltkrieg, waren für den Alpenstaat die Folgen der Niederlage Hitler-Deutschlands leicht zu verschmerzen. Zehn Jahre lang blieb das Land von den alliierten Siegermächten besetzt und in vier Zonen geteilt, bis es im Mai 1955, mitten im kalten Krieg, als Republik Österreich unter der Bedingung dauernder politisch-militärischer Neutralität seine volle Souveränität erhielt.

Der heutige Bundesstaat vereinigt neun Länder, die sich zum Teil mit den alten Kronländern der Habsburger Monarchie decken. Als Überbleibsel aus den Zeiten der Monarchie gilt der milde Zentralismus, der die österreichische Bundesrepublik von der deutschen und noch stärker sogar von der Schweiz unterscheidet, wo die Verfassung den Kantonen ungewöhnlich viel politische Eigenständigkeit zugesteht. Die überragende Stellung der

▲ *Phantasievoll bemalte Fassaden zieren viele alte Häuser in Tirol. Der Ursprung dieser Kunst liegt wahrscheinlich im oberen Inntal; von dort hat sie sich über große Teile des Alpenraums ausgebreitet.*

Bundeshauptstadt Wien, die weit mehr Einwohner zählt als die Hauptstädte der acht anderen Bundesländer zusammen, ist gleichfalls ein Erbe der Donaumonarchie.

Vorarlberg
Der „ferne Westen" der Republik

Das westlichste österreichische Bundesland, mit 2601 km² eines der kleineren, umfaßt auch den Ostzipfel des Bodensees. Von seinen Ufern blickt man auf den Arlbergpaß, der die Hauptwasserscheide zwischen dem Rhein und der Donau bildet. Aus österreichischer Sicht müßte das Bundesland eigentlich „Hinterarlberg" heißen, denn geographisch und kulturell liegt es weit entfernt von der Metropole Wien und wurde von den Monarchen oft etwas stiefmütterlich behandelt. Nach den prunkvollen Bauwerken, mit denen sie die mehr im Zentrum ihres Reiches liegenden Städte schmückten, wird man deshalb in Vorarlberg vergeblich suchen. Landschaftlich aber gehört die Region zwischen dem Bodensee und dem 3312 m hohen Piz Buin im Silvrettagebiet zu den reizvollsten Gegenden Österreichs. Auf engstem Raum liegen hier blühende Obstgärten neben dichten Bergwäldern und kahlen Felsgipfeln, die bis in den Sommer hinein eine dicke Schneedecke tragen.

Die Landeshauptstadt Bregenz, eine Gründung der keltischen Brigantier, spiegelt sich im Bodensee, der jedes Jahr im Juli und August zur Bühne der Bregenzer Seefestspiele wird. Im Vorarlberger Landesmuseum in der Unterstadt sind die archäologischen Funde

▲ *Außerhalb der Großstädte hat sich die Bauweise in den österreichischen Alpen seit Jahrhunderten kaum verändert. Diese traditionelle Architektur prägt das Bild der Dörfer und Kleinstädte; die Kirche von Wattens im Inntal beispielsweise zeigt den alten Stil, obwohl sie erst 1958 erbaut wurde.*

zusammengetragen, die eine Besiedlung der vom Klima begünstigten Uferregion seit der Jüngeren Steinzeit belegen.

Wahrzeichen der Bregenzer Oberstadt, die auf den Fundamenten der römischen Siedlung Brigantium steht, ist der Martinsturm. Er bietet bei schönem Wetter einen herr-

lichen Blick auf das breite Tal des Alpenrheins, der sein Delta immer weiter in den See hineinschiebt. Im Süden sind die Dächer von Dornbirn zu erkennen, das sich in der Nachkriegszeit zu einem bedeutenden Industriestandort, Messeplatz und zur größten Stadt Vorarlbergs entwickelt hat. Das westlichste

▲ *Die Wallfahrtskirche der Stadt St. Wolfgang im Salzkammergut ist berühmt für den spätgotischen Flügelaltar, den Michael Pacher 1481 vollendete. Er zeigt Maria, die vor ihrem Sohn Fürbitte für die sündige Menschheit leistet, flankiert von den Heiligen Wolfgang und Benedikt.*

Bundesland Österreichs ist übrigens nach Wien das am stärksten industrialisierte.

Feldkirch an der Grenze zu Liechtenstein hat Teile seines historischen Stadtbildes bewahrt: die schönen Laubenhäuser rund um den Marktplatz und die Gassen am Fuß der Schattenburg. Sie war bis zum 14. Jh. Residenz der Grafen von Montfort. Von Feldkirch führt die Autobahn hinauf nach Bludenz. In einem Talknoten gelegen, ist es von jeher eine wichtige Etappenstation an der Paßstraße zwischen Vorarlberg und Tirol. Im Süden des Städtchens beginnt das von der Ill durchflossene Hochtal Montafon, das seit 1953 durch die eindrucksvolle Silvretta-Hochalpenstraße mit dem Paznauntal auf der Tiroler Seite verbunden ist.

Tirol
Urlaubsparadies Mitteleuropas

Auf rund 60% der Fläche Österreichs erheben sich die Alpen. Das Land Tirol ist vielleicht am stärksten von hohen Bergen ge-

▶ *Aus der Blütezeit der Habsburger stammen zahlreiche Barockbauwerke wie beipielsweise das Augustiner-Chorherrenstift im oberösterreichischen St. Florian. Zwei 80 m hohe Türme flankieren den Eingang zur Stiftskirche.*

prägt. Abgesehen von einer kleinen Lücke im äußersten Nordosten, wird es in voller Länge vom Gebirgsbogen der Alpen durchzogen. Das mitteleuropäische Hochgebirge gliedert sich in seinem östlichen Teil in drei Hauptstränge, die durch breite Längstäler voneinander getrennt sind: im Norden die vorwiegend aus kalkigen Sedimentgesteinen aufgebauten Nördlichen Kalkalpen, im Gebirgskern die kristallinen Zentralalpen und im Süden als geologisches Spiegelbild der nördlichen Ketten die Südlichen Kalkalpen.

Die alte Grafschaft Tirol, die nach dem Stammschloß der Grafen von Tirol bei Meran benannt ist, reichte einst als eines der

wenigen Alpenländer quer durch alle Zonen des Gebirges; nach der Abtretung Südtirols an Italien am Ende des Zweiten Weltkriegs endet das österreichische Bundesland Tirol nun an den Hauptkämmen der Zentralalpen. Mit den Ötztaler und den Stubaier Alpen westlich sowie den Zillertaler Alpen und dem Massiv der Hohen Tauern östlich des Brenners finden sich hier die höchsten Gipfel Österreichs. Der von Frost und Eis geformte Großglockner überragt mit seinen 3797 m alle anderen. Die Nördlichen Kalkalpen – von den Lechtaler Alpen im Westen über das Wettersteingebirge und die Karwendelketten bis zum Kaisergebirge im Osten – begnügen sich zwar mit Höhen zwischen 2500 und 3000 m, machen die im Vergleich mit den Zentralalpen geringere Höhe jedoch durch besonders schroffe Hochgebirgsformen wieder wett.

Diese großartige Landschaft machte Tirol zum beliebtesten Ziel für Bergwanderer, Kletterer und Wintersportler in ganz Österreich. Das Bundesland liegt daher in der Rangliste der österreichischen Fremdenverkehrsgebiete konkurrenzlos an der Spitze, mit weitem Abstand vor Salzburg und Kärnten. Die alpenländische Folklore, die in Tirol besonders sorgsam gepflegt wird, stellt eine zusätzliche Attraktion für Besucher dar, vor allem für solche aus dem Ausland. Jodler, Schuhplattlertänze und Tiroler Lieder gehören zum festen Repertoire jedes Bunten Abends zwischen Kitzbühel und Landeck.

Doch auch für Liebhaber alter Kunstschätze und berühmter Baudenkmäler gibt es in Tirol viel zu sehen, an erster Stelle in der Landeshauptstadt Innsbruck. Der Austragungsort der Olympischen Winterspiele von 1964 und 1976 ist zwar auf den Ansturm von Touristenscharen gut vorbereitet, aber trotzdem kann es in den winkligen Gassen der Innsbrucker Altstadt eng werden, wenn die Ausflügler auf kürzestem Weg von den Parkplätzen in die Herzog-Friedrich-Straße strömen, um einen Blick auf das bekannteste Wahrzeichen der Stadt zu werfen, das Goldene Dachl. Nur wenige Schritte von dem mit vergoldeten Kupferschindeln gedeckten Prunkerker entfernt stehen die ehemalige kaiserliche Hofburg mit ihren zahlreichen Sälen und im selben Gebäudekomplex die spätgotische Hofkirche. In ihr befindet sich das Grabmal des Tiroler Freiheitshelden Andreas Hofer (1767–1810). Der Gastwirt und Landsturmkommandant war Anführer eines

▶ *Mit Stuckdekorationen, Deckenmalereien, Skulpturen und einem geschnitzten Chorgestühl zeigt sich das Barock im Inneren der St. Florianer Stiftskirche von seiner prachtvollsten Seite. Unter der großen Orgel liegt der Komponist Anton Bruckner (1824–1896) begraben, der dieses Instrument sieben Jahre lang spielte.*

▲ *Eine der belebtesten Straßen Innsbrucks, der Landeshauptstadt von Tirol, ist die Maria-Theresien-Straße. Sie gibt den Blick frei auf das Karwendelmassiv.*

Aufstands gegen die mit den napoleonischen Truppen verbündeten Bayern und wurde von den Franzosen hingerichtet. Künstlerisch eindrucksvoll ist das Grabmal Kaiser Maximilians I., ein Hauptwerk der deutschen Renaissance, mit seinem Sarkophag aus schwarzem Marmor, der das Leben des Kaisers auf Reliefs darstellt.

Die stolzen Patrizierhäuser im historischen Kern der Tiroler Landeshauptstadt mit ihren Laubengängen und Erkern zeigen im Baustil südländische Einflüsse, und das Klima des Inntals verrät gleichfalls, daß der sonnige Süden nicht mehr weit ist. Im Unterschied zur Nordflanke der Nördlichen Kalkalpen, an der sich die Wolken stauen und Städten wie Bregenz oder Salzburg den berühmt-berüchtigten „Schnürlregen" bescheren, lösen sich im Regenschatten der Gebirgskette die Wolken häufig einfach auf. Nur eitel Sonnenschein, wie ihn die Plakate der Fremdenverkehrsbüros oft versprechen, herrscht im beliebtesten Urlaubsgebiet Mitteleuropas freilich nicht, weder im eigent-

lichen noch im übertragenen Sinn. Die Umweltprobleme, die der Massentourismus mit sich bringt, wie die Verunstaltung der Landschaft durch Seilbahnen oder die Bodenerosion auf den Skipisten, werden vor allem im Inntal noch dazu durch Transitverkehr auf der Brennerautobahn verstärkt, der mittlerweile für die Anlieger unerträglich geworden ist. Auto- und Lastwagenkolonnen, die sich – oft genug im Schrittempo – die Steigungen hinaufquälen, verpesten mit ihren Abgasen die gesamte Gegend. Längst sind die Alpentäler keine Frischluftgebiete mehr, und als Folge der Verschmutzung hat der Anteil der kranken Bäume in den Gebirgswäldern dramatisch zugenommen. Fachleute schätzen, daß bereits 50–60% der Wälder in Österreich deutlich geschädigt sind. Verkehrsprojekte wie die in den 30er Jahren angelegte Großglockner-Hochalpenstraße, die seinerzeit als fortschrittlich gefeiert wurde, haben heute deshalb kaum noch eine Chance auf Verwirklichung.

Jenseits der Tauern
Von Kärnten zum Burgenland

Die Großglockner-Hochalpenstraße führt den Reisenden über die Hohen Tauern, ein stark vergletschertes Massiv, das sich nach Osten hin in den Niederen Tauern fortsetzt. Die in mehrere Gebirgsgruppen aufgespaltenen Niederen Tauern gehen ihrerseits ohne scharfe Grenzen in die Eisenerzer Alpen, die Raxalpe und andere Gebirgsketten über, die mit dem Wienerwald an der Donau enden. Die Tauern gelten als ausgeprägte Klima-

◀ *Trachten sieht man in Tirol noch häufig, keineswegs nur an Feiertagen oder bei Veranstaltungen für Touristen.*

scheide, denn sie trennen die nordalpine, dauerfeuchte Klimaregion Mitteleuropas von der südalpinen, die das im Sommer trockenere und sonnenscheinreichere Klima Süd- und Südosteuropas repräsentiert. Es ist immer wieder ein faszinierendes Erlebnis, bei Nieselregen und wolkenverhangenem Himmel in das nördliche Portal des Felbertauerntunnels hineinzufahren und nach wenigen Minuten und 5200 m zurückgelegter Strecke ohne Tageslicht am südlichen Ausgang von Sonnenschein und strahlendblauem Himmel begrüßt zu werden.

Die Felbertauernstraße endet in Lienz, dem Hauptort des vom übrigen Tirol ge-

▲ *Mit der Seilbahn ist es auch für unsportliche Bergfreunde kein Problem, das Gipfelkreuz des höchsten Berges Deutschlands, der Zugspitze, zu erreichen. Einsteigen muß man dazu allerdings in der Talstation Ehrwald, die in Tirol liegt, denn die Grenze verläuft quer über den Berg.*

trennten Ostteils des Bundeslands. Als Südtirol noch zu Österreich gehörte, unterhielt die Stadt enge Beziehungen zu diesem Gebiet; heute ist sie eng mit dem benachbarten Bundesland Kärnten verwachsen. Lienz liegt an der Drau, die als munterer Gebirgsfluß die breite Senke zwischen den Karawanken und den Tauern durchströmt und sich dann jenseits der österreichisch-slowenischen Grenze mit der Donau vereint. Das Tal der Drau, ein natürlicher Verbindungsweg zwischen den Südalpen und dem südosteuropäischen Tiefland, war schon in der Keltenzeit dicht besiedelt. Auch aus römischer Zeit sind hier etliche historische Dokumente erhalten, z. B. unweit von Spittal an der Drau die Ruinen der römischen Stadt Tiburnia, die um das Jahr 600 von den aus Südosten einwandernden slawischen Stämmen zerstört wurde. Auf eine Zeit vor unserer Geschichte verweist der 1590 geschaffene Lindwurmbrunnen in Klagenfurt. Zu dem Wahrzeichen der Kärntner Landeshauptstadt ließ sich der Künstler seinerzeit von einem ausgegrabenen Schädel inspirieren, den er einem Drachen zuschrieb. Später stellte sich jedoch heraus, daß es sich lediglich um Knochenreste eines Wollnashorns gehandelt hatte. Diese Zeitgenossen der Mammuts durchstreiften in der Eiszeit die kalten Steppen Mitteleuropas.

Das südlichste Bundesland Österreichs ist auch heute noch ein Dorado für kälteempfindliche Menschen, denn die überaus zahlreichen Seen Kärntens, wie der Wörther- oder der Ossiachersee, gehören mit sommerlichen Wassertemperaturen zwischen 24 und 27 °C zu den wärmsten Gewässern des ganzen Alpenraums.

▲ *Formenreich und vielgestaltig sind die Trachten der österreichischen Alpen. Hier trägt eine junge Kärntnerin aus dem Gailtal den für dieses Gebiet charakteristischen Hut.*

▲ *14 Wehrtore hintereinander hätten feindliche Heere überwinden müssen, um die Burg Hochosterwitz in Kärnten zu erobern. Diese Aufgabe löste allerdings keiner der ungezählten Angreifer.*

Nordöstlich des Wörthersees liegt das Städtchen St. Veit an der Glan, vom 12. bis zum Anfang des 16. Jh. war es die Hauptstadt des Herzogtums Kärnten. Am Hof des Herzogs soll sich der Dichter Walther von der Vogelweide (um 1170–1230) längere Zeit aufgehalten haben. Die Bürger errichteten dem bekanntesten deutschen Dichter des Mittelalters auf dem Hauptplatz der Stadt ein Denkmal. Als Walther von der Vogelweide im 12. und 13. Jh. die edlen Frauen mit seinen Minneliedern erfreute, bewachte schon die mächtige Burg Hochosterwitz den strategisch wichtigen Zugang zum Klagenfurter Becken. Trotz harter Bewährungsproben während der Türkenkriege wurde sie nie eingenommen.

Die Christianisierung Kärntens hatte um das Jahr 750 zwischen St. Veit und Klagenfurt im Wallfahrtsort Maria Saal begonnen. Aus dem 15. und 17. Jh. datiert die zweitürmige Wallfahrtskirche, die u. a. mit Steinen aus den römischen Siedlungen, die in dieser Gegend im 1. Jh. v. Chr. entstanden, erbaut wurde. Die Römerstadt, die auf dem Magdalensberg bei Maria Saal ausgegraben wurde, gilt als die älteste Römersiedlung Mitteleuropas.

Wo man im Süden und Südosten Österreichs auch hinkommt, überall stößt man auf Zeugnisse aus der römischen Vergangenheit. Nach der Überlieferung sollen sogar die

◀ *Nur wenige Kilometer von Ehrwald entfernt liegt der vielbesuchte Ferien- und Wintersportort Lermoos. Vor den kahlen, rund 2000 m hohen Felswänden des Wettersteingebirges wirkt die barocke Pfarrkirche fast unscheinbar.*

berühmten Lipizzaner, der Stolz der Spanischen Hofreitschule in Wien, von den Pferden Julius Cäsars abstammen. Pferde-Experten vermuten die Urheimat der edlen Warmblüter allerdings im fernen Arabien. Von dort kamen sie wahrscheinlich mit den arabischen Heeren nach Andalusien, und über die spanische Linie der Habsburger gelangten sie dann in das Hofgestüt der Donaumonarchie im slowenischen Lipizza. Heute werden die Lipizzaner im österreichischen Staatsgestüt Piber nahe Graz, der Hauptstadt der Steiermark, gezüchtet.

Auch in diesem Bundesland sind Spuren der Römer zu finden, schon vor ungefähr 2000 Jahren sollen sie im steirischen Erzberg nach Eisenerz geschürft haben. Chroniken belegen den Erzabbau in der ungewöhnlich ergiebigen Lagerstätte seit dem 12. Jh. Mit seinen treppenförmig übereinander angeordneten Abbauterrassen erinnert der Erzberg an eine riesige Stufenpyramide. Jenseits des Hochschwab-Massivs, im Wallfahrtsort Mariazell, riecht die Luft weniger nach Eisenstaub als nach Weihrauch. Seit über 800 Jahren pilgern Gläubige aus ganz Österreich zur Gnadenkapelle in der mächtigen Wallfahrtskirche Mariä Geburt, die im 17. Jh. im Barockstil umgestaltet und mit dem kostbaren Gnadenaltar aus Silber geschmückt wurde.

Von den östlichsten Ausläufern der Alpen fällt das Gelände nach und nach zur weiten Ungarischen Tiefebene hin ab. Hier, als schmaler Streifen an der Grenze zu Ungarn, zwischen dem Hochgebirge im Osten, der Donauebene im Norden und der Raab im Süden, liegt das Burgenland. Zahlreiche Burgen erinnern daran, daß hier im Mittelalter und während der Türkenkriege eine

hart umkämpfte Grenze verlief. Mitteleuropa und Südosteuropa treffen im östlichsten der österreichischen Bundesländer aufeinander. Im Vorland des Leithagebirges, dessen Hänge von Rebgärten bedeckt sind, streckt die Steppe ihre Fühler über den Neusiedler See nach Mitteleuropa aus. Die Ufer des seichten Gewässers, das kaum tiefer als 1 m ist und in extrem regenarmen Sommern oft austrocknet, werden von ausgedehnten Schilfdickichten gesäumt, in denen viele seltene Tier- und Pflanzenarten Unterschlupf finden. Der Weißstorch kommt hier noch häufig vor, seine Nester gehören zum Bild der Weinbauorte am nordwestlichen Ufer des 35 km langen Sees, der mit seiner großen Wasserfläche das im Herbst und Winter schon recht rauhe Klima zum Vorteil der Winzer mildert. Nicht weit vom Neusiedler See entfernt erblickte der berühmteste Sohn des Burgenlandes das Licht der Welt: Joseph Haydn (1732–1809), ein Begründer der Wiener Klassik.

Salzburg
Salz und Spiele

Der weitgereiste Naturforscher Alexander von Humboldt (1769–1859) nannte die Stadt an der Salzach das „Rom der Alpen" und „eine der schönsten Städte der Welt". Vom Jahr 799 bis zum Anschluß des selbständigen

▶ *In St. Gilgen am Wolfgangsee wurde im Jahr 1720 Mozarts Mutter, Anna Maria Pertl, geboren. Der beliebte Erholungsort liegt am Westufer des wohl schönsten Sees im Salzkammergut, am Fuß des markanten Zwölferhorns.*

▲ *Wenn die Lipizzaner so ruhig grasen, lassen die Warmblüter nichts von ihrem Temperament ahnen. Die Spanische Hofreitschule in Wien arbeitet mit diesen edlen Tieren schon seit 1572; heute werden die Pferde im Staatsgestüt Piber gezüchtet.*

Erzstifts an Österreich im Jahr 1816 war Salzburg Mittelpunkt eines der bedeutendsten deutschsprachigen Erzbistümer und Residenz kunstsinniger Fürstbischöfe, die sich mit immer prachtvolleren Bauten zu übertreffen versuchten. Schon in römischer Zeit unter dem Namen „Juvavum" Zentrum eines Verwaltungsbezirks, erlebte die Stadt ihre erste Blüte vom 11. bis zum 13. Jh., als die Grundmauern der Feste Hohensalzburg

gelegt wurden und der Dom als größter romanischer Kirchenbau im Deutschen Reich entstand. Nachdem er durch Brände zerstört worden war, wurde er im 17. Jh. wieder errichtet, allerdings in der damals üblichen Barockbauweise.

Gegen Ende des Mittelalters traten neben den geistlichen Landesherren wohlhabende Kaufleute als Förderer der Künste hervor. Ihren Reichtum erlangten sie durch den

Handel mit den großen Städten im Alpenvorland, wohingegen die Haupteinnahmequelle der Fürstbischöfe der Bergbau war. Die Gesteinsschichten im Untergrund der Salzburger Kalkhochalpen enthalten große Salzlager, die bereits von den Kelten ausgebeutet wurden. Mittelpunkt des Salzbergbaus war die alte Salinenstadt Hallein, die jahrhundertelang an der Spitze der mitteleuropäischen Salzproduktion stand. Die Salzburger Erzbischöfe besaßen das Monopol auf die Halleiner Saline und damit eine stetig sprudelnde Geldquelle, mit der sie ihre ehrgeizigen Pläne verwirklichen konnten.

Die für das heutige Stadtbild entscheidende Epoche begann mit Erzbischof Wolf Dietrich von Raitenau (1587–1612). Er ließ einen großen Teil der mittelalterlichen Häuser niederreißen, um mit Hilfe des italienischen Städteplaners Vincenzo Scamozzi

◀ *Der Uhrturm auf dem Grazer Schloßberg überragt die Hauptstadt der Steiermark als Überbleibsel ausgedehnter Festungen, die zum Schutz vor den Türken errichtet worden waren.*

seine Vorstellungen von der idealen Stadt zu realisieren. Viele seiner Pläne wurden jedoch erst nach seinem Tod verwirklicht, vor allem unter den Erzbischöfen Johann Ernst Graf von Thun (1687–1709) und Franz Anton Fürst Harrach (1709–1727). Sie beauftragten Johann Bernhard Fischer von Erlach und Johann Lukas von Hildebrandt, zwei der berühmtesten Baumeister des Barock, mit der Errichtung von Schloß Mirabell, der neuen Residenz, sowie der Kollegienkirche und einer Vielzahl weiterer Bauwerke in und um Salzburg.

Für die Salzburger Fürstbischöfe waren die Gestaltung und Ausschmückung ihrer Residenz zwar ein wichtiges Anliegen, doch schenkten sie ihre Aufmerksamkeit durchaus auch anderen Bereichen aus Kunst und Wissenschaft. Erzbischof Paris Graf Lodron (1619–1653), der die Stadt befestigen ließ und damit vor der Zerstörung im Dreißigjährigen Krieg bewahrte, gründete 1622 eine Universität, und am Hof von Marcus Sitticus (1612–1619) wurde erstmals im deutschsprachigen Raum eine Oper aufgeführt. Wolfgang Amadeus Mozart, der am 27. Januar 1756 im Haus Getreidegasse Nr. 9 in der Salzburger Altstadt zur Welt kam, wuchs also in eine Welt hinein, in der die Kunst eine zentrale Rolle spielte. Mit 18 Jahren wurde das musikalische Wunderkind erzbischöflicher Konzertmeister und hatte dieses Amt über ein Jahrzehnt lang inne, bis Mozart sich mit dem Erzbischof zerstritt und seiner Heimatstadt den Rücken kehrte. Im Jahr 1841 wurde das Mozarteum gegründet, eine Musikakademie mit Konzertsälen und dem Mozartarchiv. Wie stark der große Komponist diese Stadt geprägt hat, zeigt sich besonders während der Mozartwoche, in der sich alljährlich Ende Januar seine Verehrer an der Salzach treffen. Kulturelles Hauptereignis sind jedoch die Salzburger Festspiele (Ende Juli bis Ende August), an deren Begründung im Jahr 1920 Hugo von Hofmannsthal, Richard Strauss und Max Reinhardt entscheidend mitwirkten.

Das „Land am Strome"
Eine Fahrt auf der Donau

In der ersten Zeile seiner Nationalhymne heißt Österreich „Land am Strome". Gemeint ist damit zweifellos die vielbesungene Donau, die am Rand der Schwäbischen Alb entspringt und nach rund 2900 km als mächtiger Strom ins Schwarze Meer mündet; dabei durchfließt sie 350 km weit österreichisches Territorium. Die Donau besitzt zwar nicht mehr viel von ihrem „schönen Blau", wie in dem bekannten Walzer beschrieben, eine Lebensader ist sie jedoch noch heute für

▲ *Schmiedeeiserne Geschäfts- und Wirtshausschilder schmücken die Getreidegasse in der Altstadt von Salzburg. Im Hintergrund ist die Festung Hohensalzburg zu erkennen.*

das nördliche Österreich. In ihrer Bedeutung als Siedlungs-, Wirtschafts- und Verkehrsachse kann man sie am besten mit dem Rhein vergleichen.

Bei Passau beginnt die Donau ihren Weg durch Österreich und fließt, entlang dem welligen Plateau des Mühlviertels, nach Linz. Die Hauptstadt Oberösterreichs, heute ein führender Industriestandort und Donauhafen, entwickelte sich aus dem Römerkastell Lentia am rechten Ufer des Flus-

ses. Dort steht seit dem 8. Jh. die Martinskirche, eine der ältesten Kirchen Österreichs. Der Aufschwung der Stadt zum Verkehrsknotenpunkt zwischen den Alpen und dem Böhmerwald begann an der Wende vom 15. zum 16. Jh., als hier die einzige Brücke zwischen Passau und Krems über die Donau geschlagen wurde. Zu dieser Zeit besaß Linz bereits in dem stattlichen Schloß eine kaiserliche Residenz. Unterhalb dieses hochgelegenen Gebäudes liegt die Martinskirche,

▲ *Schloß Ort, auf einem Felseiland bei Gmunden im Traunsee gelegen, ist mit dem Festland nur durch einen schmalen, 120 m langen Steg verbunden.*

▲ *Der Innenhof des Schlosses Ort mit seinen Arkaden wurde in italienischem Stil gestaltet; das Türmchen auf dem Dach jedoch repräsentiert die österreichische Tradition.*

Im Schloß Artstetten hoch über dem gegenüberliegenden Ufer fanden der österreichische Thronfolger Erzherzog Franz Ferdinand und seine Gemahlin Sophie von Hohenberg die letzte Ruhestätte. Ihre Ermordung am 28. Juni 1914 in Sarajevo war Anlaß für den Ausbruch des Ersten Weltkriegs. Nun taucht die Stadt Melk mit ihrem Benediktinerstift auf. Markgraf Leopold II. hatte im Jahr 1089 dem Orden eine Grenzfeste überlassen, worauf die Mönche auf dem steilen Bergrücken über der Donau ein wehrhaftes Kloster errichteten. Noch heute wirkt das Stift durch seine erhöhte Lage und die imposanten Fassaden eher wie eine Burg als ein Kloster. Im Innern der ausgedehnten Anlage bietet sich dem Besucher die ganze Pracht des Barocks, etwa in der Bibliothek, im Kaisersaal und vor allem in der Stiftskirche, die vielen als schönste Barockkirche nördlich der Alpen gilt.

Melk bildet den Auftakt zur Fahrt durch die Wachau, den östlichsten Ausläufer des Böhmerwalds. Auf der 30 km langen Strecke reiht sich eine landschaftliche oder kulturelle Sehenswürdigkeit an die andere: Schloß Schönbühel, die Ruine der Raubritterburg Aggstein, das hübsche Weindorf Weißenkirchen, die Pfarrkirche von Dürnstein und schließlich Krems, die älteste Stadt Niederösterreichs. Spätestens seit der Römerzeit wird in diesem Gebiet der Weinbau betrie-

▶ *Blick auf das Salzburg der Schlösser und Burgen: im Vordergrund der Mirabellgarten mit Marmorstatuen und Springbrunnen, in der Mitte der monumentale Dom und im Hintergrund die Festung Hohensalzburg*

die im Jahr 799 erstmals erwähnt wurde und noch heute in ihrer ursprünglichen Gestalt erhalten ist.

Südöstlich von Linz liegt das eindrucksvollste Kunstdenkmal dieser Gegend, das Augustiner-Chorherrenstift St. Florian mit der mächtigen barocken Stiftskirche. Weiter flußabwärts schneidet sich die Donau in einem bewaldeten Engtal durch die Granit- und Gneisplateaus des Strudengaus, wo sich an ihren Ufern verwitterte Burgruinen und malerische Schifferstädtchen aneinanderreihen. Die Stromschleife „Böse Beuge" erinnert daran, daß eine Reise auf der Donau in früheren Zeiten nicht unbedingt ein Vergnügen war. Der Wasserstand des Flusses kann nämlich sehr stark schwanken, so daß bei Niedrigwasser Klippen auftauchen und bei Hochwasser gefährliche Strudel die Schiffahrt zu einem waghalsigen Unternehmen machen konnten. An dieser Stelle beginnt der Nibelungengau, welcher seinen Namen vom Städtchen Pöchlarn, dem Bechelaren des Nibelungenlieds, erhielt. Dort gewährte der edle Markgraf Rüdiger den an den Hof Etzels ziehenden Burgundern großzügig Gastfreundschaft. 1886 wurde in Pöchlarn der Maler Oskar Kokoschka geboren.

▲ *Auf einem Felsen am rechten Donau-Ufer erhebt sich Schloß Schönbühel, eine der zahlreichen Sehenswürdigkeiten der Wachau. Die ältesten Teile des Schlosses stammen aus dem 12. Jh., doch der heutige Bau wurde erst im 19. Jh. errichtet.*

ben, unter Kennern gilt die Wachau als eines der wichtigsten Weißweingebiete von Europa, vor allem durch den Grünen Veltliner. Überall in der Wachau gibt es sogenannte Buschenschenken, in denen man auf einfachen Holzbänken sitzt und sich Heurigen einschenken läßt, jungen Wein vom vergangenen Jahr.

Hinter Krems weitet sich das Donautal zu einer Ebene mit zahlreichen Altwasserarmen, dem sogenannten Tullner Feld. Benannt wurde es nach der Stadt Tulln, die in der Nibelungensage erwähnt wird: Hierher soll Etzel seiner Braut Kriemhild entgegengereist sein. Nach einem großen Bogen fließt der Strom nun auf die Landeshauptstadt Wien zu.

Wien
Vielbesungene Metropole

Dem Besucher, der sich mit dem Fiaker, der alten Pferdekutsche, in gemütlichem Tempo durch die Straßen fahren läßt, vermittelt die österreichische Hauptstadt den Eindruck, als habe sich hier seit der Kaiserzeit nur wenig geändert. Gemächlichkeit scheint das Leben der Menschen zu bestimmen; mit fast schon orientalischer Gelassenheit blicken die Wiener auf das hektische Treiben anderer Großstädte, denn für sie bedeutet die Bewahrung der Besonderheiten ihrer Kultur mehr als die Einführung von Neuerungen um jeden Preis.

Nicht zuletzt gehört auch der Genuß von Kunst und kulinarischen Köstlichkeiten zu dieser Lebenseinstellung. Wien ist bekannt für vielfältige Gaumenfreuden wie beispielsweise den Kaffee, von dem in manchen Kaffeehäusern um die zwei Dutzend Spezialitäten angeboten werden.

Wenn die Wiener ihre Tradition hochhalten, bedeutet das aber keineswegs, daß die Donaustadt den Anschluß an unsere Zeit verloren hätte. Vielleicht hat gerade diese Atmosphäre immer wieder große Denker und Künstler hervorgebracht, die hier in Ruhe neue Stilrichtungen und Theorien entwickeln konnten. Genannt seien an dieser Stelle nur einige von ihnen: der Begründer der Psychoanalyse, Sigmund Freud, der Philosoph Lud-

▲ *Mehr als 300 m mißt das weithin sichtbare Benediktinerstift Melk in der Längsachse; seine Prachtseite mit der Stiftskirche wendet es der Donau zu.*

▲ *Das Wiener Belvedere ließ sich Prinz Eugen (1714–1716) als Sommersitz errichten; es besteht aus zwei Gebäuden – hier das Untere Belvedere –, die heute als Museen dienen.*

wig Wittgenstein sowie die Komponisten Johann Strauß, Franz Schubert, Gustav Mahler und Arnold Schönberg. Auch in der internationalen Politik hat Wien seine Bedeutung nicht verloren, dank der neutralen Stellung Österreichs ist es zu einem wichtigen Ort für internationale Konferenzen geworden.

Das Stadtbild läßt beinahe preußischen Ordnungssinn erkennen: um den mittelalterlichen Stadtkern führt die Ringstraße mit der Universität, dem Rathaus, dem Parlament, dem Burgtheater, der Oper und zahlreichen Museen; jenseits dieser Prachtstraße liegen die jüngeren Viertel wie die Jahresringe eines Baumstammes. Unübersehbarer Mittelpunkt der Stadt ist der „Steffl", wie die Wiener den Stephansdom, dessen Südturm mehr als 130 m aufragt, liebevoll nennen. Er wurde vom 13. bis zum 15. Jh. an

einem Ort erbaut, an dem sich bereits in vorchristlicher Zeit ein Heiligtum befand. Das an den Außenfassaden und im Innern mit Skulpturen und Ornamenten reich ausge-

schmückte Gotteshaus ist seit 1722 erzbischöfliche Kathedrale und gilt als bedeutendstes gotisches Bauwerk Österreichs. Als Zentrum des Kaiserreiches wuchs die Wie-

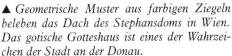

▲ *Geometrische Muster aus farbigen Ziegeln beleben das Dach des Stephansdoms in Wien. Das gotische Gotteshaus ist eines der Wahrzeichen der Stadt an der Donau.*

▲ *Von Schloß Schönbrunn blickt man über einen der besterhaltenen Barockgärten auf den Neptunbrunnen mit seinen mächtigen Skulpturen, hinter dem sich der Siegeshügel mit der Gloriette erhebt. Sie soll an den Sieg der Österreicher über die Preußen im Jahr 1857 erinnern.*

ges Interesse finden auch die Schatzkammern mit den Reichskleinodien und Reliquien des Heiligen Römischen Reiches Deutscher Nation. Sie werden an dieser Stelle verwahrt, da sich in Wien bis 1806 der Sitz der Kaiser dieses Reiches befand.

Doch nicht nur die Bauten der Habsburger bestimmen das Stadtbild Wiens; jede Epoche spiegelt sich in architektonischen Meisterwerken. Um die Jahrhundertwende blühte in der Metropole der Jugendstil. Da er in der konservativen Akademie keinen Anklang fand, gründete sein berühmtester Vertreter, Gustav Klimt, die Künstlervereinigung Sezession. Sie stellte hinfort in der gleichnamigen Kunsthalle ihre Werke aus. Einen völlig eigenen Stil repräsentiert das 1985 von dem Maler Friedensreich Hundertwasser erbaute Haus, das Elemente verschiedenster Kulturen und Zeiten vereint. Mit seinen bunten, bewegten Fassaden und mehreren Dachgärten bildet es einen lebendigen Farbtupfer.

▶ *Beim Kaiserball in der Hofburg und beim Opernball in der Staatsoper präsentiert sich die vornehme Wiener Gesellschaft. Auch unter Jugendlichen finden diese traditionellen Veranstaltungen, die etwas vom Zeremoniell des Kaiserhofes in unsere Zeit gerettet haben, noch großen Anklang.*

ner Hofburg – bis 1918 Residenz der Herrscher Österreich-Ungarns – seit dem 13. Jh. zu einer umfangreichen Gebäudegruppe heran. Heute beherbergt sie eine Reihe von Museen und dient als Amtssitz des österreichischen Bundespräsidenten. Viele Besucher kommen hierher, um den Dressurvorführungen in den Redoutensälen der Spanischen Hofreitschule zuzuschauen; re-

▲ Schönbrunn, die ehemalige Sommerresidenz der österreichischen Herrscher, entstand nach der Überlieferung an einer Stelle, an der Kaiser Matthias (1557–1619) bei der Jagd eine erfrischende Quelle fand. Heute ist der weitläufige Park des Schlosses, in dem auch der 1552 gegründete Tiergarten und ein Botanischer Garten liegen, eine grüne Oase in der Großstadt.

Verläßt man die Wiener Innenstadt und wandert in Richtung Süden, so gelangt man bald zum Belvedere. Diese Anlage errichtete der Baumeister Lukas von Hildebrandt als Sommersitz für Prinz Eugen von Savoyen; sie besteht aus einem Wohnschloß, einem Repräsentationsschloß und einem Garten im französischen Stil des 18. Jh. Im Südwesten der österreichischen Hauptstadt liegt ein noch wesentlich prächtigeres Schloß, umgeben von einem fast 2 km² großen Park: Schönbrunn. Mit seinen 200 m Länge bot dieses Bauwerk

der Herrscherin Maria Theresia einen wahrhaft kaiserlichen Wohnsitz. Bei einer Führung durch die Schauräume kann sich der Besucher ein Bild vom Leben der Habsburgerfamilie im 18. und 19. Jh. machen. Die strenge Gartenarchitektur des Barock kennzeichnet den Park, in dem sogar die Sträucher und Bäume festgelegte Formen erhielten. Zwischen Rasenflächen und Blumenrabatten, die geometrische Muster bilden, führen die Wege zu mehreren Brunnen mit Darstellungen aus der Mythologie der Antike.

Den krönenden Abschluß und die Erholung von der Besichtigung der historischen Metropole an der Donau bildet eine Fahrt mit dem Riesenrad im Vergnügungspark des Praters. Es dreht sich schon seit 1897 und bietet aus einer Höhe von mehr als 60 m einen Rundblick über die ganze Stadt.

▶ In der Wiener Altstadt mit ihren engen Gassen und alten Bürgerhäusern findet der Besucher so manches Kaffee- und Gasthaus, in dem die Zeit stehengeblieben zu sein scheint.

▲ *Eine Hochgebirgsszenerie von seltener Schönheit: Hoch ragen die Gipfel der Blümlisalp über dem klaren Oeschinensee bei Kandersteg.*

Schweiz

Mustergültige Demokratie und sicherer Wohlstand, politische Neutralität und Weltoffenheit, grandiose Landschaften und beschauliche Städte – so könnte man die Schweiz charakterisieren. Ein irdisches Paradies scheinbar, dessen Fassade allerdings einige Brüche aufweist.

MANCHES Land der Erde hat seine faszinierendsten Landschaften nach der Schweiz benannt: man denke etwa an die Sächsische oder die Indische Schweiz, denn die Schweizerische Eidgenossenschaft, wie das mitteleuropäische Land mit amtlicher Bezeichnung heißt, ist in aller Welt zum Inbegriff außergewöhnlicher Naturschönheit geworden. Die Schweiz, ein Land, in dem Milch und Honig zu fließen scheinen, steht an der Spitze der reichsten Staaten der Erde und gilt, trotz großer Ge-

gensätze in der Sprache, Religion und Lebensart seiner Einwohner, weltweit als Vorbild für das harmonische Zusammenleben verschiedener Bevölkerungsgruppen.

Die Schweiz verdankt ihren Wohlstand und den inneren Frieden einigen einfachen Grundsätzen. Die vielleicht bemerkenswerteste Maxime besteht in der konsequenten Praktizierung der halbdirekten Demokratie, der Regierung „von unten nach oben", die dem einzelnen Bürger in allen ihn betreffenden Entscheidungen ein Mitspra-

cherecht gewährt. Dementsprechend folgt die Verwaltung dezentralistischen Prinzipien. In der 1874 letztmals revidierten Bundesverfassung – eine Totalrevision ist zur Zeit wieder in Diskussion – werden der zentralen Bundesverwaltung nur jene Verwaltungsaufgaben zugestanden, die ihr die Kantone ausdrücklich übertragen. So bleiben etwa Polizei, Gesundheitswesen oder die Rechtspflege Sache der Kantone, teilweise auch die der Gemeinden. Doch auch dieses Land hat ungelöste innenpolitische Probleme. Moutier,

▲ Der „Berg der Berge": Das 4478 m hohe Matterhorn wurde 1865 von Edward Whymper und seinen Begleitern erstmals bestiegen.

▲ In der Abgeschiedenheit der Gebirgstäler lebten die Bewohner des Wallis isoliert vom Rest der Welt; so konnte sich die Tradition der Volkstrachten in die heutige Zeit hinüberretten.

die drittgrößte Stadt des historischen Juras, fordert seine Wiedervereinigung mit dem Kanton Jura – eine Lösung dieses Problems ist jedoch noch nicht in Sicht.

Immerwährende Neutralität
Eine Insel des Friedens

Im Ausland wird der ausgeprägte Föderalismus zuweilen spöttisch als „Kantönligeist" bezeichnet. In der Tat geht er zum Teil selt-

▲ Kaum ein anderes Bergmassiv der Westalpen ist für den Tourismus so gut erschlossen wie das Jungfraujoch (3475 m). Die Fahrt zum höchstgelegenen Schienenbahnhof Europas lohnt sich, denn der Blick auf den Aletschgletscher ist unvergeßlich.

same Wege. So gelang es den Frauen Appenzell Innerrhodens erst Ende 1990, das Stimmrecht für kantonale Vorlagen zu erlangen, während sie für Bundesvorlagen immerhin seit 1971 an die Urne gehen durften. Gewiß ist die föderative, seit den Anfängen der Eidgenossenschaft vorherrschende Staatsform auf die landschaftlichen Gegebenheiten zurückzuführen, insbesondere auf die starke Zergliederung der Schweiz durch zum Teil hohe Gebirgsketten. So mußten die Bewohner der Urschweiz in den Bergtälern von jeher um ihre Existenz kämpfen, waren dabei ganz auf sich selbst gestellt und, was vielleicht entscheidend war, sie bewaffneten sich, um jagen zu können.

Die staatliche Obrigkeit hatte es in den unzugänglichen Alpentälern stets schwer, sich durchzusetzen. Im Mittelalter ging der stärkste Widerstand gegen die Habsburger von den drei Urkantonen der Eidgenossenschaft aus, von Uri, Schwyz und Unterwalden, die im Jahr 1291 auf der berühmten Bergwiese Rütli schworen, alles daranzusetzen, ihr Land von den Habsburgern zu befreien. Der Rütlischwur ist zwar angeblich ein Mythos und historisch nicht belegt, jedoch existiert ein auf das Jahr 1291 datierter Bundesbrief, der in Lateinisch abgefaßt wurde und das Bündnis besiegelt. Nach der berühmten Schlacht am Morgarten im Jahr 1315 erweiterte sich der Bund dann um Luzern, Zürich, Zug, Glarus und Bern; die Eidgenossenschaft wurde 1474 erstmals von Österreich anerkannt.

Zu ihrer heutigen Form entwickelte sich die Schweiz im 19. Jh. nach der Besetzung durch die Truppen Napoleons. Vergeblich versuchte der Feldherr, das Land in einen zentral geführten Einheitsstaat umzuwandeln. Im Frieden von Paris wurde 1815 den Eidgenossen die „immerwährende Neutralität" garantiert. 1848 legte die neue Bundesverfassung die Grundlagen für den heutigen Bundesstaat aus 23 Kantonen fest, von de-

nen drei nochmals in je zwei Halbkantone aufgeteilt sind.

In den großen Kriegen, die seit 1815 in Mitteleuropa tobten, bewahrte die Schweiz strikte Neutralität. Dennoch besitzt der Bundesstaat eine der modernsten Armeen der Welt, die allerdings bis 1995 einer Reform unterzogen werden soll (Armee 95). Ein Antrag auf Abschaffung der Schweizer Armee, der dank demokratischer Tradition 1989 zur Abstimmung gelangte, hatte unerwartet viele Ja-Stimmen erbracht.

Während des Zweiten Weltkriegs war die auf allen Seiten von kriegführenden Mächten eingeschlossene Schweiz in einer schwierigen Lage. Doch der Bundesstaat überstand den Krieg nahezu unbeschadet. Vielen bot die Schweiz in diesen schweren Zeiten rettende Zuflucht. Rassisch, politisch und religiös Verfolgte fanden hier eine neue Heimat. Auch heute noch besitzt die Schweiz mit 15 % den höchsten Ausländeranteil von allen Ländern Mitteleuropas. Aus Angst vor einer Überfremdung des Landes wurden in den vergangenen Jahren die Einwanderungs- und Einbürgerungsbestimmungen jedoch verschärft. Die Furcht, irgendwann einmal die Minderheit im eigenen Land zu werden, ist allerdings nicht der einzige Grund für die neue Ausländerpolitik. Bereits heute ist die Schweiz als Gebirgsland ungewöhnlich dicht besiedelt. Die durchschnittliche Bevölkerungsdichte liegt zwar mit 165 Einw./km² deutlich unter den Vergleichswerten der Bundesrepublik Deutschland oder gar der Niederlande, dabei muß jedoch berücksichtigt werden, daß von der Gesamtfläche der Schweiz nur etwa 50–55 % dauernd besiedeltes Gebiet sind. Die Zahl der Einwohner, die in den zehn wichtigsten Ballungsgebieten des Landes leben, hat sich seit dem Ende des

▶ Verschneite Gipfel, dunkle Fichtenwälder und die Blütenpracht der alpinen Matten: das Val de Bagnes im Wallis

▲ *Unweit von Montreux am Ufer des Genfer Sees liegt auf einer Felsinsel das Château de Chillon. Einst war es Sitz der Grafen und Herzöge von Savoyen, welche die wichtige Handelsstraße über den Großen St. Bernhard beherrschten.*

Zweiten Weltkriegs nahezu verdoppelt, andererseits haben sich die ländlichen Gebiete im selben Zeitraum mehr und mehr entvölkert, vor allem die Alpenregion, die annähernd drei Fünftel des Staatsgebiets einnimmt. Sie beherbergt weniger als ein Achtel der Gesamtbevölkerung. So entpuppt sich das Bild des Schweizers, der als Bergbauer auf den Almen die Kühe hütet und sich die Mußestunden mit Alphornblasen vertreibt, als längst überholtes Klischee.

Paradies mit kleinen Fehlern
Waldsterben und hohe Berge

Wie in den Alpenregionen Bayerns oder Österreichs werden die Hochweiden der Schweizer Alpen zum großen Teil nicht mehr genutzt, man schätzt den Anteil der aufgegebenen Almen auf 50–60%. Diese Entwicklung steht in Zusammenhang mit dem Strukturwandel der Landwirtschaft in allen Teilen der Schweiz, dem zufolge die Zahl der hauptberuflichen Landwirte seit 1955 um 54% abgenommen hat. Trotz großzügiger staatlicher Unterstützung, welche die Erhaltung des Bauernstands zum Ziel hat, sind seit 1955 über zwei Drittel der ständigen Arbeitsplätze in der Landwirtschaft verlorengegangen.

Mit einem Problem anderer Natur sieht sich die Forstwirtschaft konfrontiert: das Waldsterben breitet sich in den Alpen und hier vor allem auf der Alpensüdseite immer weiter aus. Aber auch im Jura stimmt die Bilanz nachdenklich: die Zunahme von mittelstark bis stark geschädigten Bäumen beträgt gegenüber 1989 8%. Unmittelbar gefährdet durch eine Schwächung des Waldes sind die Alpen, wo der sogenannte Bann-

wald die Bergdörfer vor Lawinen, Steinschlag und Muren schützen soll. Ohne diese natürliche Barriere könnten manche Täler nicht mehr das ganze Jahr über bewohnt werden.

Schweizerische Forscher haben einmal errechnet, welche Kosten entstünden, wenn der Wald vollkommen vernichtet würde und kostenintensive Lawinen- und Wildbachverbauungen den Schutz der Siedlungen und Verkehrswege übernehmen müßten. Die Experten kamen auf die astronomische Summe von 800 Mrd. Franken; die Schweizer müßten fast 30 Jahre lang den gesamten Bundesetat für diesen Zweck aufwenden. Die Rechnung wurde jedoch schon vor einigen Jahren aufgestellt, und mittlerweile haben die Waldschäden weiter zugenommen.

Vom Waldsterben ist auch der Kanton Graubünden betroffen, der größte Kanton der Schweiz. Er ist ein typisches Hochgebirgsland, in dem mehr als 90% der Landesfläche über 1000 m liegen. Bis auf eine Höhe von 4049 m steigt hier die Bernina auf. Weiter im Westen erheben sich in den Walliser und den Berner Alpen die Rekordgipfel der Schweiz, darunter das Matterhorn, weltbekanntes Wahrzeichen der Schweizer Eidgenossenschaft, und die Dufourspitze im Monte-Rosa-Massiv, welche die Schweiz mit 4634 m buchstäblich auf die Spitze treibt. Die wildzerklüfteten Hochgebirge sind im Erdmittelalter aufgefaltet worden. Ihre heutigen Formen aber sind hauptsächlich das Werk von Gletschern, von denen die Schweiz etwa 1800 besitzt, vor allem aber der eiszeitlichen Eisströme, die in den kältesten Perioden des Eiszeitalters das Land nahezu lückenlos bedeckten.

Drei Viertel der Schweizer leben auf einer Art „Schuttabladeplatz" – dem Mittelland. Der neben den Alpen und dem Jura dritte Landschaftsraum der Schweiz erstreckt sich

vom Genfer See quer durch die Landesmitte zum Bodensee und besteht aus Schuttmassen, die Gletscher und Flüsse im Lauf von Jahrmillionen am Fuß der Alpen ablagerten. Sie verwitterten unter dem milden Klima des Voralpenlandes zu fruchtbaren Böden, auf denen nicht nur Getreide, Kartoffeln und Rüben, sondern in den sonnigsten Lagen auch Reben gedeihen. Von den europäischen Weintrinkern weitgehend unbeachtet, haben sich die Schweizer Winzer zu wahren Meistern ihres Fachs entwickelt. Für einen weißen Dézalay vom Genfer See oder einen roten Dôle aus dem Wallis sind Kenner gerne bereit, eine stattliche Summe zu bezahlen;

▲ Wie ein hellblauer Saphir, in glänzendes Weißgold gefaßt: der winzige Lucelsee bei Arolla im Wallis. Er ist einer der zahllosen Seen, die von eiszeitlichen Gletschern in den Schweizer Alpen ausgefurcht wurden.

der weiße Heida von Visperterminen im Oberwallis ist dagegen weniger ein kulinarischer als ein geographischer Superlativ,

◄ Die Weine vom Nordufer des Genfer Sees gehören zu den besten der Schweiz. Im waadtländischen Lavaux, einem Anbaugebiet zwischen Montreux und Lausanne, werden vor allem die Rebsorten Chasselas (Gutedel) und Pinot Noir (Blauburgunder) angebaut.

SCHWEIZ / 133

▲ *Die Stiftsbibliothek der ehemaligen Benediktinerabtei von St. Gallen genießt Weltruf. Besonders wertvolle Stücke sind z. B. die Handschrift des Nibelungenlieds und ein karolingischer Klosterplan (um 820). Untergebracht sind die Bestände in einem der wohl schönsten Rokokosäle der Schweiz.*

kommt er doch aus den mit 1100 m höchsten Rebbergen Mitteleuropas.

Der kleinste und nordwestlichste Landschaftsraum der Schweiz ist der Jura; er gilt als der „kleine Bruder" der Alpen und entstand etwa um dieselbe Zeit. In der Tat treten die Kalkschichten des Juras im Aarmassiv, im Zentrum der Alpen, wieder zutage. Die Bergketten des Juras sind um einiges niedriger als die der Alpen, doch erreichen sie an der Grenze zu Frankreich immerhin respektable 1679 m Gipfelhöhe. Vom Tourismus noch weitgehend unentdeckt, ist das Faltengebirge seiner landschaftlichen Schönheit wegen ein wahres Paradies für erholungsuchende Naturliebhaber. Wie der Alpenteil ist der Schweizer Jura nur dünn besiedelt, lediglich die Standorte der weltberühmten Uhrenindustrie bilden Ausnahmen. Dieser Wirtschaftszweig gehört zu den vier wichtigsten, welche die Wirtschaft der Schweiz im vergangenen Jahrhundert von Grund auf verändert haben. Die Schweizer Uhr wurde fast zum Synonym für die Industrie in diesem Land. Waren die Schweizer auf den europäischen Märkten einst hauptsächlich als Exporteure von Milch, Käse, Schokolade und Zuchtvieh bekannt, so setzt die Schweiz heute vor allem Maschinen, elektronische, chemische und pharmazeutische Produkte im Ausland ab.

Klein, aber fein
Schweizer Landstädte

Wenn nördlich des Bodensees an der Käsetheke im Supermarkt „Schweizer Käse" verlangt wird, dann ist damit meist der löchrige Emmentaler gemeint, der aus der Zentralschweiz kommt. Die Käsereien produzieren eine so große Anzahl verschiedener Käsesorten, daß selbst die gallischen Nachbarn im Westen beeindruckt sind. Zu den bekanntesten gehört der Gruyère, auch Greyerzer Käse genannt, ein typisches Produkt des Kantons Fribourg im Grenzsaum zwischen dem Mittelland und den Alpen.

Die gleichnamige Hauptstadt des Kantons, ein malerischer Ort an der Sprachgrenze, wurde wie ihre Namensschwester Freiburg im Breisgau von den Zähringern gegründet. Im Jahr 1481 nahm die Eidgenossenschaft die auf einem Bergsporn über der tief eingeschnittenen Saane errichtete Stadt in ihre Reihen auf. Seit dieser Zeit hat sich das Bild der Altstadt kaum verändert; allein über 200 Gebäude im gotischen Stil blieben der Hochburg des Katholizismus in der Schweiz erhalten, darunter die Kathedrale St-Nicolas, von deren Schatz trotz schwerer Verluste während der Französischen Revolution noch bemerkenswerte Restbestände vorhanden sind. Der Frontturm des Münsters mißt eindrucksvolle 76 m.

Montreux, am Genfersee und somit ganz in französischsprachigem Gebiet gelegen, hat sich vor allem während des 19. Jh. zu einem berühmten Fremdenverkehrsort entwickelt. Unweit der Stadt liegt auf einer Insel nahe beim Ufer eine der schönsten und bekanntesten Festungen der Schweiz, das Château de Chillon. Der Felsen von Chillon war seit der Antike besiedelt und wurde im 9. Jh. befestigt, um den Verkehr über den Großen St. Bernhard zu kontrollieren. In mehreren Bauphasen wurde das Château de Chillon im 12.–14. Jh. zum schönsten Wasserschloß des Mittellands umgebaut. Für die Sommerfrischler, die bereits um das Jahr 1820 in dem internationalen Kurort Montreux auftauchten, war das malerische Gebäude beliebtes Ausflugsziel. Vom mittelalterlichen Hauptturm aus hat man einen herrlichen Blick auf das Schloß und auf die Silhouette der Alpen. Ein zweifellos illustrer Besucher des Schlosses war der englische Dichter Lord Byron, der

▶ *Das kleine Dorf Guarda im Engadin erhielt im Jahr 1975 eine Auszeichnung für seine harmonische bauliche Struktur. Eingeschrägte Fensteröffnungen sowie das große Haustor kennzeichnen den traditionellen Engadiner Haustyp, der Haus und Stall unter einem Dach vereint. Die Fassaden sind mit vielfältigen Sgraffitoverzierungen geschmückt.*

▲ *Stein am Rhein gilt als die besterhaltene mittelalterliche Kleinstadt der Schweiz. Prächtig wirken die Häuser am Rathausplatz mit den schmucken Erkern und den farbenfrohen Fassaden.*

François Bonivard, dem berühmten Gefangenen im Schloß Chillon, das Gedicht *Der Gefangene von Chillon* (1816) widmete.

Eine Reise zurück ins Mittelalter erwartet den Urlauber im Städtchen Stein am Rhein. Der alte Brücken- und Klosterort verdankt seinen Namen einerseits dem Rhein, der hier den Bodensee verläßt, und andererseits einem großen Findling, den die eiszeitlichen Gletscher zurückließen. Fachwerkhäuser, vor allem aber die herrlichen Fassadenmalereien, machen Stein am Rhein zu einem Kleinod mittelalterlicher Architektur, das

mit dem stark befestigten Murten im Kanton Fribourg um den Ruf der am besten erhaltenen mittelalterlichen Kleinstadt der Schweiz wetteifert. Sehenswert ist nicht nur die Stadt selbst, sondern auch das ehemalige Benediktinerkloster St. Georgen aus der Zeit um 1000, das im Zuge der Reformation im Jahr 1524 aufgelöst worden ist.

Wenige Kilometer stromabwärts stürzt der Rhein 4 km südwestlich von Schaffhausen über eine Schwelle aus Kalkstein und bildet den berühmten Rheinfall, den mächtigsten Wasserfall Mitteleuropas.

▲ *Am eindrucksvollsten ist der Rheinfall bei Schaffhausen, wenn im Juni/Juli die letzten Schneefelder in den Alpen schmelzen. Die Wassermassen stürzen hier etwa 20 m in die Tiefe.*

▲ *Ein alter Brauch: Die Silvesterkläuse veranstalten alljährlich am 13. Januar in Urnäsch im Appenzeller Land mit riesigen Kuhglocken ein Heidenspektakel.*

Die glanzvolle Geschichte der Benediktinerabtei in St. Gallen endete dagegen erst mit der Säkularisierung im Jahr 1805. In den Bauten der ehemaligen Abtei, beispielsweise in der barocken Stiftskirche, besonders aber in der berühmten Stiftsbibliothek, spiegelt sich die überragende Bedeutung des aus der Klause des irischen Mönchs Gallus hervorgegangenen Klosters; es war eines der wichtigsten kulturellen Zentren nördlich der Alpen. Die Klosterbibliothek beherbergt Kostbarkeiten wie eine Handschrift des Nibelungenlieds und Bände, die mit Buchmalereien des 9. und 10. Jh. ausgeschmückt sind. Die im 10. Jh. gegründete Stadt St. Gallen ist seit Jahrhunderten Mittelpunkt des Textilgewerbes. Im vorigen Jahrhundert begann sich dann zusätzlich ein spezialisierter Maschinenbau zu entwickeln; Strick- und Webmaschinen werden hier hergestellt. Die Hauptstadt des gleichnamigen Kantons ist heute nicht nur wirtschaftliches, sondern auch kulturelles Zentrum der Region mit vielen Bildungseinrichtungen.

Südlich der Alpen ist Lugano ein besonders reizvolles Beispiel eines Stadttyps, der die schweizerische Kulturlandschaft prägt: die Mittelstadt. Der Anteil der urbanen Bevölkerung ist in der Schweizer Eidgenossenschaft im Vergleich mit den anderen mitteleuropäischen Staaten überraschend gering (rund 60 %), selbst die großen Städte bleiben in überschaubaren Dimensionen. Mediterrane städtische Kultur ist auf den drei Plätzen in der Altstadt von Lugano zu spüren; nicht umsonst trägt der Kurort den Beinamen „Perle am Luganer See". Architektur und Lebensart sind geprägt von südländischem Charakter. Der Stadtpark mit üppigwuchernder subtropischer Flora verrät

ebenfalls, daß hier die unsichtbare Grenze zwischen Mittel- und Südeuropa eigentlich schon überschritten ist.

Mehrere Landessprachen
Gipfelsturm und Rütlischwur

In Lugano sprechen die Einheimischen Italienisch, eine der vier Nationalsprachen der Eidgenossenschaft. Nur etwa 10 % der Schweizer sprechen Italienisch als Muttersprache und gar nur 1 % Rätoromanisch, eine Sprache, die sich im Alpenraum aus dem Lateinischen entwickelt hat. Rund 65 % der Schweizer sind deutschsprachig, ungefähr 18 % sprechen Französisch. Die Grenze zwischen Deutsch- und Welschschweiz wird scherzhaft „Röschtigraben" genannt; sie deckt sich kaum mit den Kantonsgrenzen. Schweizerdeutsche Dialekte werden quer durch das Land vom Bodensee im Norden bis zum Matterhorn im Süden gesprochen. Französisch spricht man in weiten Teilen des Ju-

▶ *Der Säntis mit seinen schroffen Felswänden ist mit 2503 m der höchste Berg der Appenzeller Alpen. Wer den langen Aufstieg hinauf zum Gipfel scheut, kann ab der Schwägalp die Schwebebahn benutzen. So oder so erwartet einen vom Gipfel eine phantastische Aussicht: über die Vorarlberger und Urner Alpen, den Bodensee bis weit ins schwäbische Land.*

▶▶ *Weithin sichtbar thronen Burg und die Stiftskirche Notre-Dame-de-Valère auf einem Hügel über Sion, der Hauptstadt des Kantons Wallis. Das Gotteshaus birgt die älteste spielbare Orgel Europas; sie stammt aus dem 14. Jh.*

▲ *Das Anfang des 16. Jh. aus rotem Vogesensandstein erbaute Baseler Rathaus ist mit Wandbildern von Hans Bock (1608–1611) und den 15 Wappen der eidgenössischen Kantone verziert.*

ras, im südwestlichen Drittel des Mittellands und in den angrenzenden Alpentälern, während sich das italienische Sprachgebiet auf das Tessin und einige Täler des Kantons Graubünden beschränkt.

Die Sprachgrenzen in der Schweiz sind fließend, genauso wie die Staatsgrenzen auf dem Bodensee, von dessen Wasserfläche man etwa ein Drittel zur Schweiz rechnet. Kulturell bildet das „Schwäbische Meer" ohnehin keine trennende Barriere zwischen den Ufern der drei Anrainerstaaten. Dörfer und Städte mit ihren malerischen Fachwerkhäusern, Burgen und Schlössern an seinen Ufern sind von meist ähnlicher Beschaulichkeit. Das Kloster Münsterlingen und die deutsche Gemeinde Hagnau am gegenüberliegenden Ufer des Obersees pflegen eine besondere Form des „Kulturaustausches": Bei jeder „Seegefrörni", immer dann also, wenn der See in strengen Wintern zugefroren ist, wechselt eine Büste Johannes des Täufers ihren Standort.

Zwischen dem Vierwaldstätter und dem Zuger See liegt die Rigi, der weltberühmte inselartige Aussichtsberg. Schon im 19. Jh. war dieser nordöstlichste Eckpfeiler der Alpen ein beliebtes Ausflugsziel, das Touristen weit über die Landesgrenzen der Schweiz hinaus anzog. So bestieg 1832 Alexandre Dumas, Verfasser der *Drei Musketiere*, die Rigi, im Jahr 1839 folgte ihm Victor Hugo. Seit 1871 braucht man sich den Rundblick nicht einmal mehr im Schweiße seines Angesichts zu erkämpfen, nahm doch in jenem Jahr zwischen Vitznau und Rigi-Kulm die erste Zahnradbahn der Welt ihren Betrieb auf.

Mit dem Vierwaldstätter See, den oft Föhnstürme peitschen und der durch seine langen, fjordartigen Arme die vier „Waldstätten" Uri, Schwyz, Unterwalden und Luzern verbindet, ist die Geschichte der Entstehung der Eidgenossenschaft aufs engste verknüpft. Am Ufer des südlichen Seezipfels, der zum St. Gotthard weist, liegt die Wiege der Eidgenossenschaft, die Wiese des Rütli, auf der die Urkantone der Schweiz gemäß der Überlieferung im Jahr 1291 den „Ewigen Bund" schlossen und mit einem Schwur besiegelten. Nicht weit von der vielbesuchten

Gedenkstätte entfernt, erinnert der Schillerstein, ein natürlicher obeliskförmiger Stein im See, an den deutschen Dichter, der die Geschichte des Nationalhelden Wilhelm Tell in dichterischer Freiheit mit den Anfängen der Eidgenossenschaft verband. An Tell erinnert auch die gleichnamige Kapelle am gegenüberliegenden Ufer.

Die Reuss, die den See speist, bildet die östliche Grenze des Berner Oberlandes; sie schlängelt sich durch wilde Felsschluchten, die heute durch die Gotthardautobahn verunstaltet sind. Das vorwiegend aus harten kristallinen Gesteinen aufgebaute Massiv gipfelt in einer Reihe berühmter Viertausender: Finsteraarhorn (4274 m), Jungfrau (4158 m) und Mönch (4099 m). Eher traurigen Ruhm erlangte der Eiger, dessen mächtige, dunkle Nordwand die Bergsteiger immer wieder herausgefordert und schon viele in den Tod gerissen hat. Anfang des 19. Jh. wurden die höchsten Gipfel erstmals bestiegen, die Eigernordwand hielt dem Ansturm bis ins Jahr 1938 stand. Doch auch gewöhnlichen Touristen bleibt ein Blick auf das großartige Firngebiet nicht mehr versagt: die Jungfraubahn führt von Grindelwald oder Lauterbrunnen aus zur höchstgelegenen Bahnstation Europas, dem Jungfraujoch (3454 m).

Die Walliser Alpen südlich des Rhônetals ragen noch um einiges höher bis zur 4634 m hohen Dufourspitze am Grenzgrat zwischen der Schweiz und Italien auf. Ungekrönte Königin dieser Alpenlandschaft ist die Gneispyramide des Matterhorns, das den Touristenort Zermatt im Mattertal überragt. Erstmals wurde sie 1865 von dem exzentrischen Engländer Edward Whymper bestiegen. Bis heute ist die Tragödie nicht vergessen, die sich beim Abstieg ereignete: Vier seiner Bergsteigerkollegen stürzten ab.

Die glorreichen Vier
Basel, Bern, Zürich, Luzern

Die vier größten Städte der deutschsprachigen Schweiz, jede von sehr ausgeprägt eigenem, unverwechselbarem Charakter, liegen alle verhältnismäßig nahe beieinander im Mittelland und am Rhein. Basel ist von seiner Grenzlage zu Frankreich und Deutschland geprägt. Seit dem 13. Jh. hatte die Grenzstadt eine wichtige Stellung im europäischen Transithandel inne. Früher Zentrum des Humanismus, ist Basel heute sowohl Kunstmetropole als auch die Hochburg der alemannischen Fasnacht, die am Montag nach Aschermittwoch um 4 Uhr früh mit dem „Morgenstraich" und „Guggenmusiken" ihren Auftakt nimmt.

Der wirtschaftliche Ruhm des Halbkantons gründet heute auf der chemischen Industrie,

▲ *Blick auf die Altstadt von Bern, der politischen Metropole der Schweiz; malerisch überspannt die Untertorbrücke die Aare. Links im Bild ist die Nydeggkirche zu sehen, die seit 1494 anstelle der Reichsfeste Nydegg steht.*

die sich im 19. Jh. ebenfalls die Grenzlage zunutze machte. Mehrere Weltfirmen – Ciba-Geigy, Hoffmann-La Roche, Sandoz – befinden sich hier auf engstem Raum. Groß-Basel, die ehemalige Bischofsstadt, mit dem doppeltürmigen, aus Buntsandstein gebauten Münster und der Martinskirche, steht dem gewerblichen Stadtteil Klein-Basel am rechten Ufer des Rheins gegenüber.

Bern, die schweizerische Bundeshauptstadt, liegt in einer Flußschleife der Aare. Ihr Ortsbild ist eines der großartigsten Beispiele mittelalterlichen Städtebaus in Europa. Die Mittelachse des 1191 vom Zähringer Herzog Berchtold V. gegründeten Stadtkerns bilden Gerechtigkeits-, Kram- und Marktgasse und deren prächtige Patrizier-, Zunft- und Bürgerhäuser mit ihren Arkaden sowie die Figurenbrunnen. Hauptattraktion der Metropole ist neben dem Bärengraben der Zeitglockenturm (Zytglogge), dessen 1530 geschaffenes Uhrwerk zu den ältesten Großuhren der

Schweiz gehört. Aufgrund seiner geographischen Lage und seiner historischen Bedeutung wurde Bern 1848 Bundeshauptstadt.

Zürich geht auf das römische Dorf Turicum zurück, das damals am Fuß des befestigten Lindenhofs lag und sich im Hochmittelalter zu einer blühenden Stadt mit je einem Siedlungskern an beiden Ufern der Limmat entwickelte. Die jeweiligen Zentren bildeten das Fraumünster (linkes Ufer) und das Grossmünster (rechtes Ufer). Ab 1519 wirkte der Theologe Ulrich Zwingli in Zürich, wodurch die Stadt unter den reformierten Orten der Eidgenossenschaft die Führungsrolle einnahm. Nach 1848 entwickelte sich Zürich schnell zu einem weltweit anerkannten Zentrum von Industrie, Handel, Verkehr und Finanzwirtschaft. Diese Stel-

◀◀ *Um die Mitte des 16. Jh. ließen die Bürger von Bern die Gassen und Plätze ihrer Stadt von Bildhauern mit elf Renaissance-Figurenbrunnen schmücken. Am Kornhausplatz steht der Kindlifresserbrunnen mit der grausigen Figur eines Riesen, der Kinder verzehrt.*

◀ *Das Wahrzeichen der Kantonshauptstadt Luzern: Die im Jahr 1333 erbaute Kapellbrücke, welche in schrägem Lauf die Reuss überquert, ist die älteste erhaltene Holzbrücke Europas. Das 170 m lange Bauwerk war einst Teil der mächtigen Stadtbefestigung.*

▲ *Ungebändigte Natur im Kanton Graubünden: Zwischen Ilanz und Bonaduz hat sich der Vorderrhein tief in die Schuttmassen des Flimser Bergsturzes eingegraben.*

lung hat die Stadt bis heute beibehalten. Fast unscheinbar wirken die Baudenkmäler Zürichs gegenüber den Palästen der Großbanken und Versicherungen, und viele Gäste ziehen einen Einkaufsbummel durch die Bahnhofsstraße, eine der teuersten Einkaufsmeilen der Welt, der lohnenswerten Besichtigung des Schweizerischen Landesmuseums oder des Kunsthauses vor.

Luzern war aufgrund seiner Lage an der Gotthardroute schon früh Sitz italienischer Kaufleute und Bankiers, was sich heute noch in der Architektur der Gebäude zeigt. Seit Ende des 18. Jh. entwickelte sich die Stadt zu einem Zentrum des Fremdenverkehrs, und dies ist sie dank der malerischen Altstadt auch

bis heute geblieben. Wahrzeichen der Stadt sind unter anderem die Kapellbrücke, die älteste erhaltene Holzbrücke Europas, sowie die Spreuerbrücke mit den eindrücklichen Totentanzbildern von Caspar Meglinger.

◄ *Der warme, trockene Föhn, der durch das Rheintal bei Chur weht, gilt als ausgesprochener „Traubenkocher". Die Hauptstadt des Kantons Graubünden ist bei Weinfreunden vor allem für ihre leichten Rosé-Weine bekannt.*

Graubünden
Land der 150 Täler

Der östlichste und zugleich größte Kanton der Eidgenossenschaft ist eine Schweiz im kleinen, landschaftlich wie kulturell voller Gegensätze. Er erstreckt sich von der kühlen Nordflanke bis in die mediterrane Klimazone, hier reifen Kastanien und blühen Magnolien. Drei der vier Nationalsprachen wer-

▲ *Schloß Tarasp, auf einem Schieferhügel am rechten Ufer des Inn gelegen, beherrscht das Unterengadin. Die ältesten Teile der eindrucksvollen Anlage stammen aus dem 12. und 13. Jh., in späterer Zeit wurde es mehrfach umgebaut.*

den in Graubünden gesprochen: Deutsch, Rätoromanisch und Italienisch; die Einwohner sind etwa je zur Hälfte Katholiken und Protestanten. Weniger als 300 Höhenmeter erreicht das Misoxer Tal, hingegen reckt sich die Berninagruppe in eine Höhe von 4000 m.

Grischun, wie der von Napoleon der Eidgenossenschaft zugeordnete Kanton in der Sprache der rätoromanischen Einwohner heißt, ist in jeder Beziehung ein Land des Austausches. Seine Pässe verliehen ihm in mehreren Epochen eine Schlüsselposition im Verkehrsnetz Europas. So war etwa der heute zum Fußweg verkommene Septimer der erste Übergang über die Alpen und wurde schon von den Römern benutzt. Graubünden verdankt seine Ausdehnung den steten Versuchen, die wichtigen Paßstra-ßen, die hier die Hauptkämme der Alpen queren, sowohl an der Nord- wie an der Südseite unter seine Kontrolle zu bringen, waren sie doch in dem armen Hochgebirgsland die bedeutendste Einnahmequelle. Im 19. Jh. wurden insgesamt 10 Paßstraßen ausgebaut. Mit dem im Jahr 1967 eröffneten San-Bernardino-Tunnel entstand eine ganzjährig befahrbare Nord-Süd-Straßenverbindung.

▲ *Im Tessin treten die typischen Holzhäuser der Alpen gegenüber Steinbauten zurück. Oft sind die Dächer mit grauen Schiefer- oder Gneisplatten gedeckt.*

Fremdenverkehr entdeckt wurde. Andere Regionen Graubündens, etwa die um Arosa oder Davos, stehen St. Moritz als Skigebiete in nichts nach. Während im Umkreis der im Sommer wie im Winter vielbesuchten Kur- und Ferienorte die Natur unter dem Ansturm der Skiläufer und Bergwanderer leidet, steht sie in dem offiziell im Jahr 1914 als erstem europäischen Nationalpark Europas eingerichteten Schweizerischen National- park im Unterengadin unter strengem Schutz. „Keine Axt und kein Schuß", lautet das Motto. Gemsen, Steinböcke und andere typische Hochgebirgstiere, die in vielen Gegenden der Alpen leider sehr selten geworden sind, kommen in diesem Naturreservat noch in größerer Zahl vor. Die Steinböcke, die man in den 20er Jahren in dem 169 km^2 großen Nationalpark aussetzte, haben sich sogar inzwischen wieder stark vermehrt.

Das Tessin
Land unter südlicher Sonne

Wenn man nach der Fahrt den über 6 km langen San-Bernardino-Tunnel durch das südliche Portal verläßt, wird man vom hellen Licht der Sonne geblendet. Spätestens hinter Bellinzona bemerkt man die vierkantigen ro- manischen Kirchtürme aus unverputztem Bruchstein, die Oleanderbüsche an den Bächen, die Palmen. In der Luft liegt ein Hauch von *Dolce far niente:* man ist im Tes- sin, auf italienisch „Ticino", dem südlich- sten Kanton der Schweiz.

Das Klima in der „Sonnenstube der Schweiz" ist dank der geschützten Lage me- diterran geprägt, im Sommer warm mit we- nig Regen, im Winter mild. Die Eidgenossen wurden jedoch nicht vom Sonnenschein auf die Südseite der Alpen gelockt, sondern ihr Vorstoß über den St.-Gotthard-Paß im Jahr 1403 hatte allein das Ziel, die wirtschaftlich und strategisch wichtige Paßstraße ganz un- ter ihre Kontrolle zu bringen. Bis zur Wende vom 18. zum 19. Jh. blieb das Tessin den eidgenössischen Landvögten untertan, bevor es 1803 als 18. Kanton zum Bund kam.

In den Dörfern des oberen Tessins ver- einigen sich nord- und südeuropäische Züge; als klassisches Beispiel kann das Gotthard- haus gelten, dessen Küche aus Stein, die Stube aber aus Holz gebaut ist. Weiter süd- lich sind vorwiegend reine Steinbauten zu finden, die mit ihren kaum überstehenden, steinplattengedeckten Dächern und Außen- lauben italienische Einflüsse verraten. Italie- nisch ist mit einem Anteil von mehr als 90% die verbreitetste Sprache im Tessin.

Der landschaftliche Reiz des fünftgrößten Kantons der Schweiz beruht größtenteils auf den Alpenrandseen Lago Maggiore und

In der Senkrechten werden in Graubün- den die sonst üblichen Grenzen gleichfalls überschritten: Das Dörfchen Juf, in einem Seitental des Rheins auf 2133 m gelegen, ist die höchste ständig bewohnte Siedlung der Alpen. An drei großen europäischen Strom- gebieten hat Graubünden Anteil; drei Viertel entwässern zum Rhein, dessen Quellfluß Vorderrhein sich bei Flims durch die Trüm- mer eines riesigen vorzeitlichen Bergsturzes den Weg gebahnt hat, während der Hinter- rhein die Via Mala entstehen ließ. Der Inn im Engadin gehört zum Stromgebiet der Donau, während die Flüsse südlich der Ber- nina dem Po und dem Mittelmeer zustreben.

Internationale Atmosphäre und die soge- nannte „Champagnerluft" kann man im Hochtal des jungen Inn schnuppern, insbe- sondere im mondänen St. Moritz, das als Wintersportort schon Ende des 19. Jh. vom

▲ *Ein Abstecher zu dem Fischerdörfchen Gandria läßt sich sehr gut mit einer Rundfahrt auf dem Luganer See verbinden. Malerisch schmiegen sich die Häuser der typischen Tessiner Siedlung an den steilen Uferfelsen.*

Lago di Lugano, die von eiszeitlichen Gletschern tief, oft sogar bis unter das Meeresniveau, ausgefurcht und mit Moränenwällen abgedämmt wurden. Den vielarmigen Luganer See nennen Tessiner und Italiener *Il Ceresio*, den Gehörnten. An seinen schmalen Ufern liegen Perlen wie Morcote und Gandria; der Lago Maggiore, der mit seiner Nordspitze nur knapp auf Schweizer Territorium reicht, kann mit Ascona und den Brissago-Inseln aufwarten. An seinem Ufer liegt auch das 1512 von den Eidgenossen eroberte Städtchen Locarno, dessen Landhäuser, Gärten und Weinberge prächtig an den Hängen des Seeufers hinaufsteigen. Granatäpfel-, Feigen- und Olivenbäume gedeihen im milden Klima.

◄ *Palmen und Zitrusgewächse am Luganer See: Dank der geschützten Lage des Tessins, des südlichsten Kantons der Schweiz, ist das Klima überwiegend mediterran geprägt.*

▲ *Die alten Häuser an der Hauptstraße von Gruyères stehen unter Denkmalschutz. Bedeutung hat der ehemalige Marktflecken im Greyerzer Land jedoch durch den berühmten Hartkäse mit den charakteristischen kleinen Löchern erlangt.*

Die welsche Schweiz
Zwischen Wallis und Jura

Wenn man im deutschsprachigen Teil der Schweiz vom „Welschland" spricht, dann ist mit diesem Begriff die französische Schweiz gemeint, in der Sprache der Welschschweizer „la Suisse romande". Die Welschschweizer sind zwar gegenüber den Deutschschweizern in der Minderheit, ihr Beitrag zur Kultur und zum Wirtschaftsleben der Eidgenossenschaft ist jedoch beachtlich. Jean-Jacques Rousseau, der im Jahr 1712 in Genf geborene

Schriftsteller und Philosoph, hatte großen Einfluß auf die europäische Geistesgeschichte, während der aus dem Jura stammende Architekt Le Corbusier in der modernen Baukunst Maßstäbe setzte. Der Genfer Henri Dunant schließlich regte die Gründung des Roten Kreuzes an. Weltweiten Bekanntheitsgrad erlangten auch die Produkte des Nestlékonzerns, der Ende des 19. Jh. von dem Chemiker und Apotheker Henri Nestlé gegründet wurde.

Das französische Sprachgebiet hat Anteil an allen drei Landschaftsräumen der Eidgenossenschaft. Es reicht von den Gipfeln

der Walliser Alpen über das Mittelland mit dem Genfer See als größtem See am Rand der Alpen bis zum Faltengebirge des Schweizer Juras. Im Kanton Wallis, der wie die meisten anderen Kantone der Welschschweiz erst spät, im Jahr 1815, der Eidgenossenschaft angegliedert wurde, verläuft die Sprachgrenze quer durch das Rhônetal. Das zwischen den Berner und den Walliser Alpen tief ausgefurchte Tal gehört zu den trockensten Gebieten Mitteleuropas. Alpine und südliche Vegetation mischen sich hier, dunkle Föhren stehen neben Kastanienbäumen, vereinzelt säumen Lärchen die Weinberge. Der stürmische Bergwind wühlt oft den Genfer See am Ausgang des Rhônetals auf; landwirtschaftliche Kulturen werden vor ihm meist durch Hecken oder Pappeln geschützt.

Besucher von Genf, die das Wahrzeichen der Stadt, den Jet d'eau, eine mächtige, bis 145 m hohe Fontäne im Genfer See, aus nächster Nähe bewundern wollen, erhalten durch den böigen Wind nicht selten eine unfreiwillige Dusche.

Die offene, kosmopolitische Atmosphäre Genfs hat viele internationale Verbände und Institutionen veranlaßt, sich hier niederzulassen, etwa den Weltkirchenrat, die UNO oder das Internationale Komitee des Roten Kreuzes; nach dem Ersten Weltkrieg war Genf Sitz des Völkerbundes. Im 16. Jh. erlebte die Metropole, die sich mit ganzem Stolz „République et Canton de Genève" nennt, ihre unruhigste Zeit. Die Genfer schlossen die erste Allianz mit den Eidgenossen, und die Stadt entwickelte sich zum Zentrum der calvinistischen Reformation, zum „protestantischen Rom".

Bis an den westlichen Stadtrand Genfs erstrecken sich die bewaldeten Höhen des Schweizer Juras, dessen südliche Teile zur welschen Schweiz gehören. In dem dünnbesiedelten Landschaftsraum herrscht stellenweise ein sehr rauhes, kaltes Klima, das dem stillen Tal von La Brévine den Namen „Sibirien der Schweiz" eingetragen hat. An den Ufern des Bieler und des Neuenburger Sees hingegen ziehen sich fruchtbare Weinberge und eine Kette malerischer Städtchen und Dörfer entlang, beispielsweise Grandson, Erlach oder Ligerz. Grandson mit seinem Schloß aus dem 13. und 15. Jh. ist vor allem als historischer Ort von Bedeutung, haben die Eidgenossen doch hier in der Nähe einen glorreichen Sieg gegen den Burgunderherzog Karl den Kühnen davongetragen. Erlach, ein mittelalterliches Städtchen, liegt am Ausgangspunkt des Heidenwegs, der auf die St. Petersinsel führt, auf welcher Rousseau 1765 weilte. Ligerz schließlich ist ein typisches Winzerdorf mit einem Weinbaumuseum und einer besonders für Heiratsfeiern beliebten Kirche, die mitten in den Rebbergen steht.

▲ *Vaduz: Am Rand der Alpenrheinebene liegt die nicht einmal 5000 Einwohner zählende Hauptstadt des Fürstentums Liechtenstein. Im Zentrum des Regierungssitzes befindet sich das Rathaus mit seiner kunstvoll bemalten Fassade.*

Liechtenstein

Eingezwängt zwischen die Schweizer Eidgenossenschaft und Österreich, umfaßt der Zwergstaat gerade 160 km². Einst ein armes Bauernland, ist das Fürstentum heute eines der höchstindustrialisierten Länder der Welt.

I M Jahr 1712 erwarb Fürst Adam von Liechtenstein die Mitte des 12. Jh. gegründete Grafschaft Vaduz und vereinigte sie mit der Herrschaft Schellenberg. Karl VI. war es, der die beiden Gebiete zum unmittelbaren Reichsfürstentum Liechtenstein erhob. Durch Napoleon wurde es im Jahr 1806 dem Rheinbund angeschlossen.

Lange Zeit war das Fürstentum politisch und wirtschaftlich mit dem Habsburgerreich verbunden; von 1852 an bestand eine Währungsunion mit Österreich. Nach dem Zerfall der Donaumonarchie wandte sich Liechtenstein der Schweiz zu, die das Land auch heute noch diplomatisch vertritt. Zwischen beiden Ländern besteht seit 1924 eine Wirtschafts-, Währungs- und Zollunion.

Im Jahr 1921 trat eine neue Verfassung in Kraft. Nach ihr ist das Fürstentum eine konstitutionelle Erbmonarchie, die dem Volk und den einzelnen Gemeinden jedoch nach dem Vorbild der Eidgenossenschaft weitgehendes Mitspracherecht und Selbstverwaltung einräumt. Seit 1989 ist Fürst Hans Adam II. Staatsoberhaupt. Residenz und Regierungssitz ist Vaduz am Fuß der mächtig aufragenden Gipfel des Rätikon.

Das kleine Land ist wirtschaftlich überaus erfolgreich. Einst ein reines Agrarland, gehört Liechtenstein heute zu den am stärksten industrialisierten Staaten der Erde. Aufgrund günstiger Steuergesetze ist das landschaftlich attraktive Fürstentum formeller Sitz vieler ausländischer Firmen und Holdinggesellschaften; etwa 30% des Staatshaushalts werden von ihnen erwirtschaftet.

Bundesrepublik Deutschland

Fläche: 357 048 km²
Einwohner: 78,63 Mio.
Hauptstadt: Berlin, 3,3 Mio. Einw.
Bedeutende andere Städte: Hamburg, 1,6 Mio. Einw.; München, 1,2 Mio. Einw.; Köln, 937 000 Einw.; Frankfurt (Main), 625 000 Einw.; Essen, 621 000 Einw.; Dortmund, 587 000 Einw.; Düsseldorf, 570 000 Einw.; Stuttgart, 563 000 Einw.; Bremen, 535 000 Einw.; Leipzig, 530 000 Einw.; Duisburg, 527 000 Einw.; Dresden, 501 000 Einw.
Staatsform: Parlamentarischer Bundesstaat
Währung: 1 Deutsche Mark = 100 Pfennig
Bevölkerung: Deutsche, kleine dänische und sorbische Minderheiten; 5,8 % Ausländer
Sprache: Deutsch, im nördlichen Schleswig-Holstein zum Teil Dänisch, in der Lausitz und im Spreewald Sorbisch als gleichberechtigte Sprache
Religion: Christen (35 % Katholiken, 42 % Protestanten), 2 % Moslems; kleinere griech.-orthodoxe, jüdische und buddhistische Minderheiten
Klima: Kühlgemäßigtes, ständig feuchtes Klima, im Westen ozeanisch, im Osten kontinental. Durchschn. Temp. in Frankfurt (Main) im Januar 0,5 °C, im Juli 18,6 °C
Bodenschätze: Steinkohle, Braunkohle, Torf, Stein- und Kalisalz, Erdöl, Erdgas
Hauptexportgüter: Fahrzeuge, Maschinen, elektrotechnische Erzeugnisse, chemische Produkte, feinmechanische und optische Erzeugnisse, Textilien, Nahrungs- und Genußmittel
Pro-Kopf-Einkommen ($ im Jahr): alte Bundesländer 18 530; neue Bundesländer 11 118 (Vergleichszahlen für 1988)
Bevölkerungswachstum (% im Jahr): 0,1
Lebenserwartung: Männer 71, Frauen 78

Niederlande

Fläche: 41 864 km²
Einwohner: 14,9 Mio.
Hauptstadt: Amsterdam, 683 000 Einw.
Bedeutende andere Städte: Den Haag (Regierungssitz und Residenz), 445 100 Einw.; Rotterdam, 573 000 Einw.; Utrecht, 229 000 Einw.
Staatsform: Parlamentarische Monarchie
Währung: 1 Holländischer Gulden = 100 Cent
Bevölkerung: Niederländer, Friesen; 3,7 % Ausländer
Sprache: Niederländisch, Friesisch
Religion: Christen (36 % Katholiken, 26 % Protestanten), 2 % Moslems, jüdische Minderheit
Klima: Kühlgemäßigtes ozeanisches Klima mit kühlen Sommern und milden Wintern. Durchschn. Temp. in Amsterdam im Jan. 1,7 °C, im Juli 17 °C
Bodenschätze: Erdgas, Erdöl, Torf, Salz
Hauptexportgüter: Erdölprodukte, Erdgas, chemische Erzeugnisse, elektronische Geräte, Metallwaren, Maschinen, Fahrzeuge, Molkereiprodukte, Fleisch, Gemüse, Schnittblumen, Schokolade, Tabakwaren, Blumenzwiebeln
Pro-Kopf-Einkommen ($ im Jahr): 14 530
Bevölkerungswachstum (% im Jahr): 0,5
Lebenserwartung: Männer 73, Frauen 80

Liechtenstein

Fläche: 160 km^2
Einwohner: 25500
Hauptstadt: Vaduz, 4900 Einw.
Staatsform: Parlamentarische Monarchie
Währung: 1 Schweizer Franken = 100 Rappen
Bevölkerung: Liechtensteiner; 40% Ausländer (vor allem Schweizer und Österreicher)
Sprache: Deutsch
Religion: Christen (90% Katholiken)
Klima: Kühlgemäßigt
Hauptexportgüter: Maschinen, Transportmittel und andere Metallwaren
Pro-Kopf-Einkommen ($ im Jahr): 17625
Bevölkerungswachstum (% im Jahr): 1,2
Lebenserwartung: Männer 71, Frauen 78

Belgien

Fläche: 30514 km^2
Einwohner: 9,9 Mio.
Hauptstadt: Brüssel, 977000 Einw. (mit Vororten)
Bedeutende andere Städte: Antwerpen, 483000 Einw.; Gent, 234000 Einw.; Charleroi, 230000 Einw.; Lüttich, 202000 Einw.
Staatsform: Parlamentarische Monarchie
Währung: 1 Belgischer Franc = 100 Centimes
Bevölkerung: Flamen (57%), Wallonen (32%), deutschsprachige Minderheit; 8,5% Ausländer
Sprache: Französisch, Niederländisch, Deutsch
Religion: Christen (90% Katholiken), jüdische Minderheit
Klima: Kühlgemäßigtes ozeanisches Klima mit kühlen Sommern und milden Wintern. Durchschn. Temp. in Brüssel im Januar 2°C, im Juli 17°C
Bodenschätze: Steinkohle, Eisenerz
Hauptexportgüter: Eisen- und Stahlwaren, Maschinen, Fahrzeuge, Textilien, chemisch-pharmazeutische Produkte
Pro-Kopf-Einkommen ($ im Jahr): 14550
Bevölkerungswachstum (% im Jahr): 0,0
Lebenserwartung: Männer 70, Frauen 77

Luxemburg

Fläche: 2586 km^2
Einwohner: 369000
Hauptstadt: Luxemburg, 77000 Einw.
Staatsform: Parlamentarische Monarchie (Großherzogtum)
Währung: 1 Luxemb. Franc = 100 Centimes
Bevölkerung: Luxemburger; 27% Ausländer
Sprache: Letzebuergisch, Französisch, Deutsch
Religion: Christen (95% Katholiken)
Klima: Kühlgemäßigtes ozeanisches Klima. Durchschn. Temp. im Jan. 0,3°C, im Juli 17,4°C
Bodenschätze: Eisenerze
Hauptexportgüter: Maschinen, Stahlerzeugnisse, Metallwaren, Kunststoff- und Chemieprodukte, Textilien
Pro-Kopf-Einkommen ($ im Jahr): 22600
Bevölkerungswachstum (% im Jahr): 0,2
Lebenserwartung: Männer 67, Frauen 74

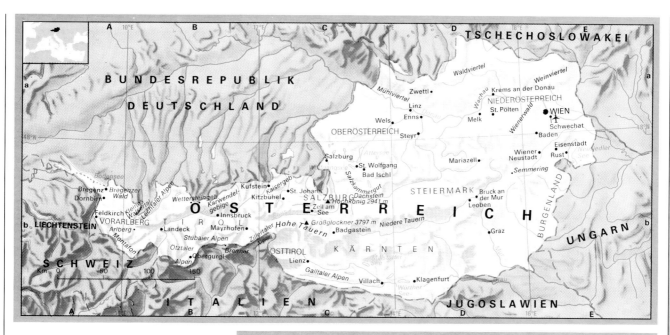

Österreich

Fläche: 83 853 km²
Einwohner: 7,6 Mio.
Hauptstadt: Wien, 1,5 Mio. Einw.
Bedeutende andere Städte: Graz, 243 000
Einw.; Linz, 200 000 Einw.; Salzburg,
139 000 Einw.; Innsbruck, 117 000 Einw.
Staatsform: Parlamentarischer Bundesstaat
Währung: 1 Schilling = 100 Groschen
Bevölkerung: Österreicher, 4,3 % Ausländer
Sprache: Deutsch
Religion: Christen (81 % Katholiken)
Klima: Kühlgemäßigt, im Westen ozeanisch, im Osten kontinental, innerhalb der
Alpen Hochgebirgsklima. Durchschn.
Temp. in Wien im Jan. −1,4 °C, im Juli
19,9 °C
Bodenschätze: Eisenerz, Wolfram, Braunkohle, Blei, Zink, Erdöl, Erdgas
Hauptexportgüter: Maschinen, Stahl,
elektronische Geräte, Metallwaren, Textilien, Chemieprodukte, Holz, Papier,
Nahrungs- und Genußmittel
Pro-Kopf-Einkommen ($ im Jahr): 15 560
Bevölkerungswachstum (% im Jahr): 0,0
Lebenserwartung: Männer 70, Frauen 77

Schweiz

Fläche: 41 293 km²
Einwohner: 6,7 Mio.
Hauptstadt: Bern, 298 000 Einw.
Bedeutende andere Städte: Zürich,
835 000 Einw.; Genf, 380 000 Einw.; Basel,
361 000 Einw.; Lausanne, 260 000 Einw.
Staatsform: Parlamentarischer Bundesstaat
Währung: 1 Schweizer Franken = 100
Rappen (Centimes)
Bevölkerung: Schweizer, 15 % Ausländer
Sprache: Deutsch, Französisch, Italienisch, Rätoromanisch
Religion: Christen (48 % Katholiken,
44 % Reformierte)
Klima: Kühlgemäßigt, in den Alpen
Hochgebirgsklima, südlich der Hauptkämme Übergang zum Mittelmeerklima.
Durchschn. Temp. in Zürich im Jan.
−1,1 °C, im Juli 17,6 °C

Bodenschätze: Steinsalz, Gips
Hauptexportgüter: Maschinen, Apparate,
Instrumente, chemische und pharmazeutische Produkte, Uhren, Textilien, Holz,
Papier, Nahrungs- und Genußmittel
Pro-Kopf-Einkommen ($ im Jahr): 27 260
Bevölkerungswachstum (% im Jahr): 0,3
Lebenserwartung: Männer 73, Frauen 80

Bildnachweis

(l. = links; o.l. = oben links; u.l. = unten links; r. = rechts; o.r. = oben rechts; u.r. = unten rechts; o. = oben; M. = Mitte; u. = unten)

Umschlagvorderseite:
o.: Frima/IFA-Bilderteam; u.: Rainer Fieselmann/ BAVARIA

Innenteil:
6o.: J. Guillard/Top; 6u.: Loirat/C.D. Tétrel; 7o.: M. Levassort; 7u.: Iavelberg/Gamma; 8o.: Nou/Explorer; 8M.: Weiss/Rapho; 8u.: J. Bottin; 9 Beeldbank & Uitgeefprojecten; 10o.: Beeldbank & Uitgeefprojecten; 10u.: Beeldbank & Uitgeefprojecten; 11: P. Ploquin; 12/13: Beeldbank & Uitgeefprojecten; 14o.: Beeldbank & Uitgeefprojecten; 14u.: Beeldbank & Uitgeefprojecten; 15: Beeldbank & Uitgeefprojecten; 16o.: Beeldbank & Uitgeefprojecten; 16u.: Beeldbank & Uitgeefprojecten; 16/17: Beeldbank & Uitgeefprojecten; 18/19: Beeldbank & Uitgeefprojecten; 20/21: Beeldbank & Uitgeefprojecten; 20u.: Beeldbank & Uitgeefprojecten; 21: Beeldbank & Uitgeefprojecten; 22/23: Beeldbank & Uitgeefprojecten; 24: Beeldbank & Uitgeefprojecten; 25o.: Beeldbank & Uitgeefprojecten; 25u.: Beeldbank & Uitgeefprojecten; 26l.: Beeldbank & Uitgeefprojecten; 26r.o.: Beeldbank & Uitgeefprojecten; 26r.u.: Beeldbank & Uitgeefprojecten; 27: Rijksmuseum Amsterdam; 28: Beeldbank & Uitgeefprojecten; 29: Loirat/C.D. Tétrel; 30/31: M. Levassort; 32o.: Loirat/C.D. Tétrel; 32/33: Reader's Digest; 34l.: Loirat/C.D. Tétrel; 34r.: Loirat/C.D. Tétrel; 35: Loirat/C.D. Tétrel; 36: Loirat/C.D. Tétrel; 37l.: Moss/Colorific; 37r.: Dupont/Explorer; 38/39: Loirat/C.D. Tétrel; 40: Loirat/C.D. Tétrel; 41: Saint-Servan/Explorer; 42o.: M. Levassort; 42u.: Reader's Digest; 42/43: Reader's Digest; 43l.u.: Loirat/C.D. Tétrel; 43r.u.: Reader's Digest; 44l.o.: Loirat/C.D. Tétrel; 44l.u.: Loirat/C.D. Tétrel; 44r.: Loirat/C.D. Tétrel; 45: P. Tétrel; 46: Weiss/Rapho; 47o.: Sappa/Cedri; 47u.: P. Tétrel; 48: P. Tétrel; 49: Reiner Elsen/ Helga Lade Berliner Bildagentur; 50: ZEFA/ Vloo; 51o.: ZEFA/Kohlhas; 51u.: J. Guillard/ Top; 52/53: Klaus Bossemeyer/Bilderberg; 54: Stevens/Atlas-Photo; 55o.: J. Guillard/Top; 55u.: Bildarchiv Huber; 56: J. Guillard/Top; 56/57: J. Guillard/Top; 58: Höpker/Magnum; 59: J. Guillard/Top; 60o.: Berne/Fotogram; 60u.: Everts/ Rapho; 61o.: Everts/Rapho; 61u.: Ägyptisches Museum, Berlin; 62: H.-J. Boldt/Helga Lade Bildagentur; 63o.: Höpker/Magnum; 63u.: Pictor/Aarons; 64: J. Guillard/Top; 65: J. Guillard/ Top; 66/67: J. Guillard/Top; 66: J. Guillard/Top; 67: J. Guillard/Top; 68: J. Guillard/Top; 69: J. Guillard/Top; 70/71: J. Guillard/Top; 72: Déribéré; 72/73: Gerig/IFA-Bilderteam; 74: J. Guillard/ Top; 75: J. Guillard/Top; 76: J. Guillard; 77: Frima/IFA-Bilderteam; 78: ZEFA/Vloo; 78/79: Stevens/Atlas-Photo; 80.: Zentral Farbbild Agentur; 80u.: Egon Martzig/Helga Lade Bildagentur; 81: Streichan/ZEFA; 82o.: Lessing/Magnum; 82u.: J. Guillard/Top; 83: Vulcain/Explorer; 84: Rozbroj/Atlas-Photo; 84/85: Helga Lade Fotoagentur; 86: Veiller/Explorer; 86/87: Bildarchiv Huber/R. Schmid; 88o.: R. Schmid/Bildarchiv Huber; 88u.: Helga Lade Fotoagentur; 88/89: Werner Otto; 90: Bildarchiv Huber; 91: Helga Lade Fotoagentur; 92/93: Lessing/Magnum; 94: Veiller/Explorer; 95: Boulat/Sipa-Press; 96o.l.: P. Tétrel; 96o.r.: Nardin/Explorer; 96u.: Boulat/ Sipa-Press; 97: Helga Lade Fotoagentur; 98/99: Davies/ZEFA; 99: IFA-Bilderteam/Lederer; 100: J. Guillard/Top; 101: J. Guillard/Top; 102o.: Marineau/Top; 102u.: P. Tétrel; 103o.: Everts/Rapho; 103u.: Garanger/Sipa-Press; 104l.: Desjardins/Top; 104r.: Bildarchiv Huber/Rodelt; 105o.: Veiller/Explorer; 105u.: Veiller/Explorer; 106: P. Tétrel; 106/107: P. Tétrel; 108: P. Tétrel; 109: F. Peuriot; 110l.: Gritscher/Rapho; 110r.: P. Ploquin; 111l.: Gritscher/Rapho; 111r.: F. Peuriot; 112o.: M. Levassort; 112u.: F. Peuriot; 113: Everts/Rapho; 114o.: F. Peuriot; 114u.: Goldman/Rapho; 114/115: F. Peuriot; 116: F. Peuriot; 117l.: Nou/Explorer; 117r.: F. Peuriot; 118/119: Risch-Lau/Bildarchiv Huber; 120o.: F. Peuriot; 120u.: Nou/Explorer; 121: M. Levassort; 122l.: P. Ploquin; 122r.: F. Peuriot; 123: Funk/Rapho; 124/125: Foto Löbl-Schreyer; 125o.: M. Levassort; 125u.: Garbison/Fotogram; 126o.: M. Levassort; 126l.u.: Mangiavacca/Vloo; 126r.u.: Koch/Rapho; 126/127: J.-M. Grénier; 128: Silberstein/Rapho; 129: P. Tétrel; 130l.o.: Rebuffat/ Rapho; 130r.o.: P. Tétrel; 130u.: P. Tétrel; 131: Van der Vaeren/Explorer; 132: S. Marmounier; 132/133: Mazin; 133u.: S. Marmounier; 134: R. Mazin; 134/135o.: R. Mazin; 134/135u.: R. Mazin; 136l.o.: R. Mazin; 136r.o.: Keel/Explorer; 136/137: R. Mazin; 138/139: R. Mazin; 140: R. Mazin; 141o.: Welsh/IFA-Bilderteam; 141l.u.: R. Mazin; 141r.u.: P. Tétrel; 142o.: P. Tétrel; 142u.: R. Mazin; 142/143 R. Mazin; 144: P. Tétrel; 145o.: P. Tétrel; 145u.: Perno/C.D. Tétrel; 146: Berne/Fotogram; 147: Beeldbank & Uitgeefprojecten; Karten 148–151: Reader's Digest